# INNOCENT BREUVAGE

Michèle Barrière fait partie de l'association *De Honesta Voluptate*, fondée sur les travaux de l'historien Jean-Louis Flandrin. Historienne, journaliste culinaire, elle est l'auteur pour Arte de la série *Histoire en cuisine*. Elle est connue du grand public pour ses polars historiques qui retracent l'histoire et l'évolution de la cuisine et des manières de table.

La saga des Savoisy

L'Assassin de la Nationale 7
Souper mortel aux étuves
Meurtres à la pomme d'or
Natures mortes au Vatican
Meurtres au Potager du Roy
Les Soupers assassins du Régent
Meurtre au café de l'Arbre Sec
Meurtre au Ritz
Meurtres trois étoiles

Les enquêtes de Quentin du Mesnil,
maître d'hôtel à la cour de François Ier

Le Sang de l'hermine
De sang et d'or
Le Prisonnier de l'Alcázar

# MICHÈLE BARRIÈRE

# *Innocent breuvage*

### Une aventure de Quentin du Mesnil
### et du Dr François Rabelais

LATTÈS

ISBN : 978-2-253-08611-6 – 1ʳᵉ publication LGF

*Pour Alice, Hadrien*
*et la rue Cauchois*

# 1

Taraudé par l'inquiétude, le roi n'avait guère dormi. Quentin du Mesnil, qu'il avait fait appeler, le trouva pâle, les traits tirés, la barbe en bataille et le regard lointain.

— Rien de nouveau? demanda Quentin.

Rien de nouveau. Le Dauphin était entre la vie et la mort, et tous retenaient leur souffle dans l'attente des nouvelles en provenance du château de Tournon où, deux jours auparavant, le jeune homme en proie à de terribles douleurs au côté droit avait dû s'arrêter.

François s'approcha de la fenêtre et l'ouvrit en grand. Une vague de chaleur pénétra dans la chambre. Ce 10 août 1536 serait encore une de ces journées caniculaires dont le midi de la France avait le secret. La Grand-Rue de Valence était déserte.

La guerre avec Charles Quint, son arrivée à Aix, ses troupes en marche pour conquérir la Provence, tout semblait oublié. À la cathédrale Saint-Apollinaire, les chanoines ne priaient plus pour sa victoire mais pour que son fils aîné recouvre la santé.

— Fais-moi monter du bouillon, un peu de fromage et du vin clairet, dit François.

— Tout est prêt, sire! Mes vingt années de service auprès de vous en tant que maître d'hôtel n'ont pas été complètement inutiles, tenta de plaisanter Quentin.

Il fit entrer les deux domestiques qui attendaient derrière la porte. Ils disposèrent sur la table un pot fumant de potage aux perdrix rouges, six fromages de chèvre petits et ronds, selon la coutume de la région, une miche de pain et un pichet de vin du Rhône. François coupa une tranche épaisse, choisit un des petits fromages et reposa le tout.

— S'il arrive malheur à mon fils, jamais je ne me pardonnerai ce que je lui ai infligé, marmonna-t-il. Je le ferai payer à ce maudit Charles.

Le dauphin François était le fils préféré, l'enfant chéri, doté de la jovialité et du charme de son père, alors qu'Henri, son cadet d'un an, plus froid et renfermé, entretenait avec le roi des rapports difficiles. L'un et l'autre avaient été privés d'enfance par sa faute : en échange de sa libération des geôles espagnoles, il les avait remis à l'empereur Charles Quint. Les deux petits otages de huit et sept ans étaient restés enfermés quatre longues années[1] dans une sordide forteresse de Castille. C'était là une des plus grandes douleurs que François ait eu à subir, Quentin pouvait en témoigner.

Quentin servit un verre de vin que le roi but d'un trait.

1. De 1526 à 1530.

On frappa à la porte. Quentin alla ouvrir. Les cardinaux de Lorraine et de Tournon se tenaient devant lui. Le roi leur fit signe d'approcher et leur demanda d'une voix qu'il voulait assurée :

— Comment se porte le Dauphin ?

Devant leurs mines ravagées par le chagrin, il s'écria :

— Mon fils est mort !

Quentin vit ses traits se défaire, sa bouche se tordre et des larmes rouler sur ses joues. Il s'approcha de cet homme, son ami de toujours, et voulut le prendre dans ses bras. En gémissant, François le repoussa et tomba à genoux. Les cardinaux pleuraient à chaudes larmes. Quentin ferma la fenêtre et tira les lourds rideaux, afin de masquer le soleil dont les rayons faisaient injure à leur immense chagrin. Le bourdon de la cathédrale tinta, puis la cloche de l'hôpital, puis celles des couvents des Cordeliers et des Capucins. Le glas sonnait pour un jeune homme de dix-huit ans, mort si brutalement qu'on n'y pouvait voir que la signature du diable.

## 2

Le roi n'avait guère le temps de se laisser aller au chagrin. Soixante mille hommes en armes attendaient ses ordres à Avignon. Tout se passait à peu près bien sur le front de Provence, en revanche, les nouvelles de Picardie n'étaient pas bonnes. Henri de Nassau assiégeait Péronne. Si cette ville tombait, Saint-Quentin serait pris à son tour, la voie vers Paris serait alors ouverte. Le royaume était en danger.

Dans ces moments d'affliction, Quentin du Mesnil veillerait à la préparation de mets réconfortants, des boissons cordiales et revigorantes. Certes, le roi n'en oublierait pas pour autant sa peine, mais chacun savait qu'une saine nourriture était la première condition pour conserver la santé.

Quentin ne faisait pas partie des conseillers de François. Il n'avait aucune part aux décisions politiques, et cela lui convenait fort bien. Contrairement à bien des amis d'enfance du roi, il n'avait jamais brigué de hautes charges ni de titres prestigieux. Il n'aimait pas la guerre, le fracas des batailles, la furie des combats. La gloire lui importait peu. Sa fonction de maître d'hôtel lui suffisait amplement. Très attaché au roi, avec qui il avait été élevé et dont il connaissait aussi bien les bons que les mauvais côtés, il avait à cœur de lui faciliter la vie, de prendre soin de lui. Ils s'étaient souvent chamaillés, voire fâchés, mais ils savaient l'un et l'autre ce que loyauté veut dire.

Quentin n'aurait pas à s'occuper des funérailles du Dauphin. D'autres que lui, plus titrés ou appartenant à la famille royale, se chargeraient des pompes officielles. Un souvenir lui revint, cette fête extraordinaire imaginée par son vieil ami Léonard de Vinci pour le baptême de l'enfant, le 25 avril 1518. Elle avait eu lieu de nuit, au son des trompettes et hautbois et à la lueur de milliers de torches de cire blanche. Ambassadeurs, grands seigneurs et grandes dames avaient traversé la cour du château d'Amboise sous un velum. Le château était décoré de guirlandes de fleurs, les murs tendus de tapisseries et de draperies d'or et d'argent. Vêtu de dentelle incrustée de pierreries, le Dauphin avait été porté sur les fonts baptismaux par le duc d'Urbino, futur père de Catherine de Médicis, et par Marguerite, la sœur du roi. Dix-huit ans plus tard, c'était au son des chants funèbres qu'on allait le porter en terre.

Quentin savait combien perdre un enfant était une terrible épreuve, pour l'avoir vécue lui-même à deux reprises. La nature reprenait ce qu'elle avait donné. C'était ainsi. Par chance, le Dauphin avait deux frères : Henri et Charles. La succession au trône de France n'était pas compromise. Quentin eut une pensée pour Alicia, son épouse, qui était sur le point d'enfanter. Il ne serait pas à ses côtés. Pas plus qu'il ne l'avait été lors de ses accouchements précédents : le service du roi le retenait de longs mois à Amboise, à Fontainebleau ou à Saint-Germain-en-Laye. Alicia quittait peu la Normandie, où elle était occupée par le soin de leurs trois enfants et par la conduite du domaine qu'elle faisait fructifier depuis la mort d'Antoine du Mesnil. Elle était encore jeune et se portait à merveille, mais la mise au monde d'un enfant était toujours un moment critique qui coûtait la vie à bien des mères. Quentin eut soudain grande envie de la rejoindre sur-le-champ pour prendre soin d'elle.

La maladie subite du Dauphin avait de quoi surprendre. Quelques jours auparavant, ce jeune homme faisait preuve d'une belle énergie, il se montrait impatient d'aller au combat. Qu'avait-il bien pu se passer ? Quentin décida de laisser le roi à son chagrin tandis que les cardinaux prenaient les mesures qui s'imposaient. Il souhaitait se rendre auprès de Jean de Saint-Folin, qui avait eu la triste mission de venir jusqu'à Valence prévenir le roi. Le pauvre homme était assis dans la cour, à l'ombre d'un pilier, les yeux rouges d'avoir pleuré, le visage maculé de la poussière de la route qu'il avait parcourue à bride abattue.

— Pouvez-vous me dire quels furent les derniers instants du Dauphin ? lui demanda Quentin après l'avoir salué. Le roi souhaitera en connaître tous les détails.

Saint-Folin se redressa, poussa un soupir et commença son récit d'une voix tremblante.

— Après le départ de son père, l'état du Dauphin parut s'améliorer. Nous reprenions espoir quand, le lendemain soir, 8 août, la fièvre grimpa rapidement. Ses médecins, François Myron et Jean Lemoyle, se concertèrent avec Jean Champier, attaché au cardinal de Tournon. Le pauvre jeune homme semblait bel et bien condamné.

Saint-Folin réprima un sanglot et reprit.

— Dans la nuit du mercredi au jeudi, monseigneur entra en agonie. Les prêtres et les chanoines de la collégiale Saint-Julien furent appelés à son chevet. L'extrême-onction lui fut administrée vers minuit. Nous nous sommes agenouillés, nous les gentilshommes de sa maison et la famille de Tournon, et nous avons commencé à murmurer les prières des agonisants. Jamais je n'oublierai cette terrible scène où nous avons vu ce bel enfant de dix-huit ans nous quitter pour passer sur l'autre rive.

Très ému, Quentin revoyait François dans les bras de sa mère, la douce et lumineuse Claude de France. Elle avait été tenue à l'écart de la cour par sa terrible belle-mère Louise de Savoie, délaissée par ce roi qui papillonnait de conquête en conquête et se contentait de l'engrosser régulièrement, aussi avait-elle toujours pris grand soin de ses enfants. Quentin, très proche d'elle et soucieux de la distraire, lui rendait souvent visite en son château de Blois. Ni belle ni brillante, elle y vivait simplement, priait beaucoup, se réjouissait de peu et ne manifestait aucune acrimonie contre le sort qui lui était fait.

Le dauphin François avait grandi avec ses frères et sœurs : Charlotte, Henri, Madeleine, Charles,

Marguerite, mais sans la petite Louise, décédée l'année de sa naissance. Alors que le Dauphin avait six ans, la reine Claude, épuisée, était morte en donnant naissance à un enfant qui n'avait pas vécu. Le roi, qui, à sa manière, lui était très attaché, avait été profondément affecté par sa disparition.

Saint-Folin joignit les mains, son regard se fit lointain.

— Notre Dauphin fut pris de râles et sa respiration devint de plus en plus difficile. À 5 heures, le soleil entra à flots dans la chambre dont les rideaux n'avaient pas été tirés. Les oiseaux chantaient, on entendait les cris des bateliers sur le Rhône. Nous savions que la fin était proche. François, dauphin de France, duc de Bretagne, duc de Viennois, comte de Valentinois et de Diois, rendit le dernier soupir ce 10 août, jour de la Saint-Laurent. Paix à son âme.

Les deux hommes firent le signe de croix et se recueillirent. Quentin posa une main sur l'épaule de Saint-Folin.

— Nous sommes tous catastrophés par cette mort. Les médecins ont-ils fait entendre qu'il pourrait s'agir d'une maladie épidémique ?

— Rien de ce genre, affirma Saint-Folin. Champier a évoqué un mal phtisique. Les autres sont tombés d'accord avec lui.

Au moins n'avait-on pas à craindre un malheur supplémentaire. Le diable avait fait preuve de mansuétude.

## 3

Le roi tentait de faire bonne figure, mais son regard empreint de tristesse, ses gestes plus lents et son ton monocorde disaient combien il était touché. Des messagers étaient partis annoncer la mauvaise nouvelle dans tout le royaume. Il fit venir son fils Henri, désormais dauphin de France. Le jeune homme de dix-sept ans était de bonne taille, il avait le visage étroit et le regard doux. La douleur marquait ses traits comme il s'avançait vers son père. Quentin le prit en pitié. Ombrageux, replié sur lui-même, de nature mélancolique, il avait encore plus mal vécu que son frère ses années de captivité en Espagne. Plus intéressé par les exercices physiques violents que par l'étude, il faisait preuve non seulement d'entêtement, mais aussi d'une grande crédulité. Ce n'était certes pas le moment de le dire, mais Quentin craignait, comme beaucoup d'autres, qu'il ne fît pas un bon roi.

Le nouveau Dauphin se tenait devant son père, les yeux baissés, comme à son habitude. On les sentait l'un et l'autre tendus : François, qui ne voulait pas blesser son fils en montrant le peu de confiance qu'il lui portait ; Henri, conscient qu'il ne remplacerait jamais son frère aux yeux de leur père.

— Mon fils, vous avez perdu votre frère, et moi mon fils bien-aimé. Faites tout votre possible pour l'imiter jusqu'à le surpasser et devenir si vertueux que ceux qui le regrettent aujourd'hui trouveront en vous de quoi apaiser ce regret. Je veux qu'à cette fin vous employiez votre cœur, votre esprit et votre entendement.

Henri leva les yeux. D'une voix tremblante, il jura non seulement d'honorer la mémoire de son frère, dont la bonté était connue de tous, mais, en outre, par son courage et son audace, de se montrer digne des espérances du roi, son père.

C'était, hélas, ce que redoutaient François et son entourage. Depuis que la guerre était déclarée, le jeune homme ne tenait pas en place, réclamant à cor et à cri de se rendre à Avignon, d'y prendre le commandement d'une troupe et de partir à l'assaut de Charles Quint. Maintes fois, il avait fallu lui expliquer la situation : instruit par la défaite de Pavie[1], François Ier ne voulait pas affronter l'empereur en bataille rangée, car son armée était la plus puissante du monde. Il avait été décidé de pratiquer la politique de la terre brûlée, de laisser les impériaux s'épuiser et de les vaincre par la famine.

Sur les ordres d'Anne de Montmorency, le lieutenant général, la Provence avait été vidée de ses habitants, qui avaient eu six jours pour quitter leurs maisons. L'exemple avait été donné par le comte

---

1. En 1525.

de Carces, les seigneurs de Mas et de Caillau, qui avaient mis le feu à leurs propres maisons, fours et moulins, granges et moissons, abattu leur bétail, empoisonné leurs puits et répandu le vin et l'huile dans les caves. Certains villageois avaient regimbé. Les soldats de Jean de Bonneval s'étaient alors chargés de la dévastation. Sur les chemins, on avait vu des vieillards courbés sous leur fardeau, pourtant bien maigre, des femmes enceintes et des enfants qui suivaient en pleurant. Les riches allaient à cheval et dépassaient des miséreux qui n'avaient d'autre choix que d'aller se cacher dans les forêts.

Ces mesures portaient leurs fruits, amers pour les paysans qui avaient tout perdu et pour les soldats de l'empereur qui ne trouvaient rien à se mettre sous la dent, mais bénéfiques pour l'armée du roi de France, qui, à ce jour, n'avait pas encore livré bataille. Nul doute que le jeune Henri, avide de gloire et d'honneurs, ne manquerait de vouloir repartir à l'assaut auprès de son père.

Pour l'heure, le recueillement s'imposait. Les funérailles ne pouvaient être aussi grandioses qu'en temps de paix, mais elles seraient néanmoins entourées d'une ferveur digne de la renommée du Dauphin.

Avant d'assister à l'entretien solennel entre François et Henri, Quentin s'était occupé de l'organisation matérielle du voyage du roi à Tournon. Aussi ne fut-il pas étonné lorsque ce dernier demanda à le voir. Sans doute voulait-il s'assurer que tout était en ordre, même si la chevauchée prendrait à peine deux heures.

— Es-tu au fait des rumeurs? demanda François.

— On dit que Charles Quint est arrivé à Aix et qu'il l'a trouvée, à sa grande surprise, déserte et sans provisions.

— Le fait est avéré, mais ce n'est pas ce dont je veux parler.

Dans la cour, les chevaux piaffaient, impatients de prendre la route.

— Montecuculli, avança François. Tu le connais?

— Oui, nous nous sommes rencontrés à Bologne quand vous m'avez envoyé espionner le séjour de Charles Quint, il y a près de six ans. Depuis qu'il est en France, nous sommes devenus amis.

— Est-il fiable? interrogea le roi, les sourcils froncés.

Quentin éprouvait un léger malaise. Il pesa chacun de ses mots.

— Loyal et fidèle à son maître, le regretté Dauphin, qu'il servait depuis sept mois.

— N'est-il pas venu dans les bagages de ma bru, Catherine de Médicis? N'a-t-il pas auparavant été au service de l'empereur?

Le ton du roi s'était fait coupant. Quentin redoutait ce qui allait suivre.

— La mort du Dauphin ne peut être accidentelle. Tu l'as constaté comme moi à Lyon: il était en parfaite santé. Comment son état a-t-il pu se dégrader en si peu de temps?

— D'après Saint-Folin, répliqua Quentin, les médecins pensent à une maladie de poitrine.

Il lui rapporta les derniers moments du Dauphin, tels que l'émissaire les lui avait relatés. À l'évocation de l'agonie de son fils, le regard du roi se voila. Mais il reprit avec véhémence :

— Certains ici parlent d'un empoisonnement ! Un crime commandité par l'empereur ! Cela expliquerait tout : la soudaineté et la brièveté de la maladie. Ce chien de Charles Quint en est bien capable, il ne pouvait trouver mieux pour me détourner de mes plans.

Quentin renonça à lui dire que, aveuglé par sa haine pour son rival, il allait trop vite en besogne, et que Charles, tout ennemi qu'il fût, ne s'abaisserait pas à de telles pratiques.

— Il paraît qu'après avoir joué à la paume, le Dauphin a demandé à boire à son échanson, ce fameux Montecuculli, et que ce dernier lui a servi une boisson dans un pot de terre rouge. Peu de temps avant, il y aurait versé du sublimé d'arsenic.

Quentin se récria avec force.

— Impossible ! J'étais avec lui. Il n'a rien fait de tel.

## 4

*Huit jours plus tôt, à Lyon.*

— Quelle chaleur infernale! s'exclama Quentin en délaçant son pourpoint. Et nous ne sommes qu'au deuxième jour du mois d'août. Ça promet! Que dirais-tu de piquer une tête dans le Rhône?

Après avoir soigneusement plié son habit, il le posa sur l'herbe jaunie des prairies d'Ainay et souleva les pans de sa chemise pour y faire circuler un peu d'air. L'odeur de sa transpiration l'incommodait, il ôta le vêtement sous le regard moqueur de son compagnon, Sébastien de Montecuculli, assis à l'ombre d'un pommier.

— Voilà bien les hommes du Nord, incapables de supporter les ardeurs du soleil, soupirant après la pluie et les brouillards!

— Il est vrai que, dans ma Normandie, nous avons rarement l'occasion de nous plaindre de la chaleur, répliqua Quentin. Mais les vents et les ondées venus de la mer font de nous des hommes grands et forts, alors que vous, nés dans la fournaise italienne, êtes aussi petits et secs que des pruneaux.

Il rattrapa prestement la pomme verte que lui lançait Sébastien. Depuis qu'ils se connaissaient, leurs différences de taille et d'allure étaient un sujet de plaisanterie. Quentin dépassait Sébastien d'une bonne tête et pesait trente livres de plus. Aussi blond que son ami était noir de peau et de poil, Quentin ne pouvait renier ses ancêtres vikings.

— Au moins, le pruneau que je suis n'a pas la moindre once de gras, ce qui n'est pas ton cas.

— À quarante ans, il est bien naturel d'avoir pris un peu d'ampleur. N'oublie pas qu'une décennie nous sépare. Et tu n'es échanson du Dauphin que depuis peu. Tu verras que les fastes de la cour de France ne sont pas étrangers à l'élargissement du tour de taille. Donnons-nous rendez-vous dans dix ans pour comparer nos bedaines.

Les cloches de l'abbaye d'Ainay, toute proche, sonnèrent l'office de none[1]. Quentin s'assit aux côtés de Sébastien et lui proposa de l'eau de sa gourde. À tour de rôle, ils burent à longs traits. Quentin ne put s'empêcher de faire la grimace. L'eau était chaude et légèrement saumâtre.

— Le Dauphin est un acharné du jeu de paume, déclara Quentin en s'essuyant les lèvres. C'est folie de jouer à cette heure de la journée. Pour rien au monde je ne voudrais courir après l'éteuf[2]. J'en mourrais, c'est sûr.

— C'est ce qui risque d'arriver à son adversaire, le sieur d'Interville. J'ai vu le début de la partie. Avec

1. None : 15 heures.
2. Balle.

23

son embonpoint, le pauvre homme suait déjà sang et eau. Le Dauphin est jeune et vaillant. Il menait deux jeux à un. Comme nous quittons Lyon demain pour rejoindre l'armée à Avignon, il tenait absolument à se livrer à son jeu favori.

Quentin versa le reste de sa gourde dans l'herbe.

— Cette eau est trop mauvaise. De quoi tomber malade! M'accompagnerais-tu au bord du Rhône? Il y aura peut-être un souffle d'air.

— Je préfère rester à proximité du jeu de paume. Une collation a été préparée pour le Dauphin, je dois être présent pour lui servir à boire après la fin de la partie.

Quentin acquiesça. Dans une des allées menant à l'abbaye où séjournaient la famille royale et la cour, il vit Henri, le frère du Dauphin, en compagnie de la maréchale de Brézé. Le jeune homme couvait du regard cette belle femme de vingt ans son aînée. Sébastien, qui les avait vus, prit une mine goguenarde.

— Crois-tu qu'ils couchent ensemble? demanda-t-il à Quentin.

— Certainement pas! Quoiqu'elle soit veuve depuis près de cinq ans, on ne connaît aucun amant à Diane de Poitiers. Pour des raisons assez mystérieuses, Henri lui a voué dès sa plus tendre enfance une admiration sans bornes. À sa libération des geôles espagnoles, alors qu'il reprenait pied sur un sol français dont il ne connaissait plus rien, Diane lui a témoigné de l'affection. Le pauvre enfant, qui n'avait alors que onze ans, appréciait peu de voir son frère, le Dauphin, plus entouré que lui, alors qu'ils avaient connu les mêmes souffrances. Il reste éternellement reconnaissant de ses attentions à la maréchale.

— À près de quarante ans, elle est magnifique. Je ne serais pas étonné que le jeune Henri ait dans l'idée de faire la bête à deux dos avec elle.

Quentin haussa les épaules.

— Il ferait mieux de faire un enfant à Catherine, son épouse. Des bruits courent. On dit que la petite Médicis risque fort d'être répudiée pour ne pas avoir été grosse en trois ans de mariage. Elle pourrait être réexpédiée à Florence dans les mois qui viennent.

Sébastien se rembrunit. Du bout de sa chaussure, il traça des cercles dans la poussière de l'allée.

— Ce serait fort injuste. L'ayant servie, je peux témoigner qu'elle aime sincèrement son prince et n'aspire qu'à être mère. Laissons-lui le temps, elle a tout juste dix-sept ans. La pauvre n'a vraiment pas eu une enfance facile. Provoquer la mort de sa mère en naissant alors que son père agonise dans la pièce voisine, puis être séquestrée par les républicains florentins, prise en otage, menacée de viol…

— Je remarque surtout que cela lui a forgé le caractère, l'interrompit Quentin. Désolé de te faire de la peine, je me méfie de cette jeune personne. Elle est certes très intelligente et cultivée, mais, sous des apparences de douceur et d'humilité, elle dissimule une féroce ambition.

Sébastien s'agita, bougonna quelques mots en italien. Quentin lui posa une main sur le bras.

— Ne nous disputons pas. Et ne cherchons pas trop à savoir ce qui se passe dans le lit de ceux que nous servons. Allons plutôt voir si d'Interville n'a pas rendu l'âme.

## 5

Ils longèrent le verger et débouchèrent sur une allée plantée d'arbres, censée protéger le jeu de paume du vent et du soleil. La chaleur y était à peine atténuée. En terre battue, délimité par des cordes attachées à des piquets, le terrain mesurait cent soixante pas de long et vingt-cinq de large[1]. Le visage empourpré, visiblement fatigué, le Dauphin se démenait comme un beau diable. Il s'apprêtait à lancer l'éteuf et cria d'une voix essoufflée à son adversaire :

— Tenez, messire[2] !

L'éteuf rasa la corde qui partageait le terrain en deux camps. De justesse, d'Interville réussit à l'attraper au bond et le repauma. Le Dauphin le cueillit après un premier rebond et lui donna une impulsion oblique, ce qui fit hurler de rage d'Interville.

Quentin et Sébastien se dirigèrent vers l'ombre des grands arbres où avait été dressée une table surchargée de petits pâtés à la viande, godiveaux, tourtes aux herbes, rôties au fromage, flans à l'eau de rose.

---

1. Soit 70 mètres par 15.
2. Ce « Tenez » est à l'origine du mot tennis.

Une escouade de jeunes valets chassait les mouches, ravies d'un tel festin.

— Les boissons vont être bouillantes, fit remarquer Quentin.

— Ne t'inquiète pas, j'ai mon secret.

— Souviens-toi, quand nous nous sommes rencontrés, en 1530, une vague de chaleur s'était abattue sur Bologne, et pourtant ce n'était que le 1<sup>er</sup> mars.

— C'est vrai, et cela ne nous a pas empêchés de manger avec appétit. Mais pas autant que Charles Quint ! Je n'ai jamais vu un tel glouton. Il voulait goûter à tout : les esturgeons du delta du Pô, les truites de Reno, les calamars de Vénétie, les perdrix, les bécasses et les pigeons des Apennins, les lièvres de la plaine de Padoue, les chapons des environs de Bologne…

Sous les applaudissements, le Dauphin gagna le premier point, ce qui lui donna le droit d'avancer de quinze pieds. Quentin regardait la partie d'un œil distrait. Il n'était pas grand amateur du jeu de paume, une blessure à la jambe lui ayant depuis l'enfance interdit les courses effrénées.

— Il ne lésinait pas sur les vins blancs de la région, continua Sébastien.

— Cette fois, en Provence, il risque d'avoir le gosier sec. Les troupes ont eu ordre de détruire les tonneaux et de répandre le vin.

— Au moins ne fera-t-il pas de crise de goutte, comme à Bologne. Il était furieux que ses médecins le mettent à la diète, lui interdisent de manger du gibier et de boire du vin. Si tu veux être à l'abri de la goutte, disait Pétrarque, il faut être pauvre ou vivre autrement.

— Je me souviendrai toujours de lui, souffreteux, grincheux, enveloppé de flanelle, sa chaufferette sous les pieds, lorgnant sur l'assiette du pape qui, lui, s'empiffrait.

Le Dauphin emporta un deuxième point et avança de nouveau de quinze pieds. Le sieur d'Interville risquait d'être battu à plate couture.

— Une insoutenable torture! Un indicible calvaire! Un abominable martyre! Être écartelé entre l'envie de s'emparer d'une cuisse de faisan et la crainte de se tordre de douleur! Sait-on où il se trouve aujourd'hui? demanda Sébastien.

— Il a franchi la frontière le 25 juillet, jour de la Saint-Jacques, patron de l'Espagne. À Grasse, il a eu la mauvaise surprise de ne trouver que des ruines : le seigneur du lieu a fait abattre les remparts et brûler la ville. Le 28 juillet, il était à Fréjus. On le dit sur la route d'Aix.

— Cette guerre est stupide !

— Comme toutes les guerres, répliqua Quentin, qui n'avait guère envie de s'appesantir sur le sujet.

C'était là son désaccord majeur avec le roi. Depuis vingt ans qu'il était au service de François, il n'avait connu que de rares périodes de paix. La rivalité entre les deux souverains tournait à l'obsession. Chacun avait son idée fixe. François voulait à toute force reprendre le Milanais, possession de sa bisaïeule Valentine Visconti ; Charles comptait toujours se réapproprier la Bourgogne, apportée en dot par sa grand-mère à la famille des Habsbourg. L'affrontement était permanent et continuerait tant que François et Charles seraient en vie. Au grand désespoir de

Quentin, la Paix des Dames, qui avait miraculeusement duré sept ans, venait de s'achever. Les hostilités avaient repris à l'initiative du roi de France.

— Peux-tu me dire pourquoi ton souverain s'est emparé de la Savoie? claironna Sébastien.

— Les motifs sont futiles, je te l'accorde. François reproche au duc de Savoie d'avoir été l'allié du connétable de Bourbon qui l'a trahi en 1523, et de ne pas avoir voulu prêter la ville de Nice pour que s'y tienne le mariage de son fils Henri avec Catherine de Médicis. Mais surtout, il réclame les terres de Bresse, dont il s'estime l'héritier par sa mère, Louise de Savoie.

— Ridicule! Que Charles Quint ait vu rouge, ça me semble naturel, le coupa Sébastien.

Sans pouvoir l'avouer, Quentin était d'accord avec lui.

— Charles ne peut plus faire confiance à François depuis qu'il a trahi le traité de Madrid[1], alors qu'il avait promis au nom du Christ de ne jamais renier ses engagements. N'est-ce pas?

— Tout doux, Sébastien, ne t'enflamme pas! Et parle moins fort, tu es en France!

Quentin était au supplice. Il ne pouvait donner tort à son ami, mais sa loyauté envers son roi l'empêchait de l'approuver. Présent à ses côtés lors de la signature, dix ans plus tôt, il était le premier à savoir que François n'avait jamais eu l'intention de rendre la Bourgogne à Charles, comme le stipulait ce traité qui avait mis fin à sa captivité en Espagne.

---

1. En 1526. Voir *Le Prisonnier de l'Alcázar*, éditions J.-C. Lattès, 2014.

Son reniement avait été la cause des quatre années d'emprisonnement de ses enfants.

L'invasion de la Savoie était un nouveau pas en direction de Milan. Quand il l'avait appris, Charles s'était précipité chez le pape Paul III pour obtenir son soutien. Fou de rage, il avait traité François de traître sans foi ni loi et proposé de le rencontrer en combat singulier, à l'épée ou au poignard. À son choix, avait-il dit, en une île de mer ou en terre ferme. Sur un pont, dans un bateau, comme il lui plaisait. L'empereur s'en contenterait, lui qui se savait béni de Dieu, qui lui avait toujours été favorable.

Prenant son silence pour un acquiescement, Sébastien reprit.

— Et que dire de l'alliance entre Soliman le Magnifique et la France ? Comment ne pas y voir une manœuvre de François pour faire pénétrer les troupes musulmanes en Autriche et ainsi abattre l'Empire ? Alors que Charles Quint venait de prendre Tunis aux musulmans et qu'il était prêt à poursuivre le pirate Barberousse jusqu'à Alger ! Avec cette nouvelle guerre, il ne le pourra pas.

— Tu vas trop loin, Sébastien ! Garde-toi d'un tel discours, ou il pourrait t'en cuire. Je te connais assez pour savoir que ton indignation est sincère, mais d'autres que moi pourraient t'en tenir grief.

Le jeune homme eut un geste d'apaisement et s'excusa en disant que le temps était à l'orage.

De nouveaux applaudissements éclatèrent. Le Dauphin venait de gagner un troisième point. Il pouvait encore se rapprocher, mais de dix pieds seulement, pour ne pas se trouver trop près de la corde.

Il avait gagné quarante pieds. La fin de la partie était proche.

— Sais-tu ce qu'est devenu cet extraordinaire cuisinier, Bartolomeo Scappi, qui était au service du pape à Bologne et nous a régalés de la plus belle manière ? demanda Quentin pour signifier que l'incident était clos.

— En fait, il était et est toujours cuisinier du cardinal Lorenzo Campeggio.

— Quel extraordinaire repas ! Deux cent deux plats ! Souviens-toi, le banquet a commencé à 9 heures du soir et s'est terminé à 5 heures du matin. Des lions en massepain grandeur nature avaient été installés devant les tables jonchées de pierres précieuses. J'entends encore les trompettes annonçant l'entrée des plats. Je revois les pages portant des flambeaux, précédant ceux chargés d'immenses tableaux. Il y eut cinq services de crédence et sept de cuisine. C'était un jour maigre, aussi Scappi avait-il dû faire appel à tout son savoir pour ne servir que du poisson et des légumes ! J'avais noté quelques compositions de plats et je les ai fait servir avec succès à la cour de France. Nous devrions l'inciter à écrire un livre où il noterait ses recettes.

— Peut-être le fera-t-il un jour[1]…

Ils furent interrompus par une jeune fille d'une vingtaine d'années, aux yeux en amande et au sourire conquérant. Chiara ! La demi-sœur de Sébastien, arrivée d'Italie en début d'année pour entrer au service de Catherine de Médicis. Élevée loin du

---

1. Ce sera fait en 1570 ! Bartolomeo Scappi publie *Opera*. Voir *Natures mortes au Vatican*, Le Livre de Poche, 2009.

monde par des parents très stricts, elle découvrait les amusements propres à la jeunesse, et son frère s'inquiétait de la voir folâtrer avec les jeunes gens de l'entourage du Dauphin et de son frère. Avec son teint mat et sa chevelure couleur aile de corbeau, elle rappelait à Quentin son épouse Alicia. Ses regards insistants lors de leur première rencontre n'avaient pas échappé à la jeune fille. Avait-elle cru qu'il cherchait à la séduire ? Toujours est-il qu'il avait dû, par la suite, garder ses distances, car Chiara s'était montrée un peu trop entreprenante. Contrairement à bon nombre de ses contemporains, Quentin était fidèle à son épouse et comptait bien le rester. L'aventure qu'il avait eue, dix ans auparavant[1], avec Marguerite, la sœur du roi, avait failli lui coûter son mariage, et il n'avait aucune intention de récidiver.

— Le Dauphin a l'avantage. Il va gagner la partie, annonça-t-elle avec son délicieux accent italien.

— Il me faut m'occuper des boissons. Quentin, suis-moi, je vais te montrer mon secret.

Répondant à un appel, Chiara s'élança vers un groupe de jeunes gens qui riaient fort.

Les joueurs se saluèrent avec courtoisie. Visiblement épuisé, le Dauphin peinait à reprendre son souffle. Ses yeux clairs étaient injectés de sang, et ses lèvres d'habitude de belle couleur avaient pris une teinte livide. Le sieur d'Interville, encore plus mal en point, se laissa aller dans l'herbe, suant et soufflant comme un animal marin échoué. On s'empressa autour de lui, son valet l'éventant avec une serviette.

---

1. Voir *Le Prisonnier de l'Alcázar*, *op. cit.*

Suivi par Quentin, Sébastien plongea dans un fourré. D'un trou creusé dans la terre, il sortit un grand pichet de terre et un verre de couleur rouge, entourés de glace pilée que la chaleur avait en partie fait fondre. Sébastien versa un peu d'eau du pichet dans le verre, la goûta et s'exclama :

— Elle est encore bien fraîche !

— Comment as-tu fait ? demanda Quentin, ébahi. Fais-moi goûter !

— Pas touche ! J'ai fait venir la glace des Alpes et j'ai eu un mal fou à la conserver. Ne m'en veux pas si je ne t'en donne pas, je la réserve pour mon maître.

Il s'empressa de rejoindre le Dauphin, qui avait retrouvé son souffle et plaisantait avec ses amis. Sa maîtresse, Mlle de Lestrange, en robe de satin couleur cerise, lui tenait amoureusement la main.

— Vite, Montecuculli ! s'exclama le jeune prince. Je me meurs ! De l'eau, ou je trépasse !

Il tendit avidement la main vers le verre que lui tendait son échanson et but à grands traits.

— Pure merveille ! Cette eau est fraîche à souhait. Donnez-m'en encore.

Mlle de Lestrange minauda pour en avoir une gorgée.

— Que nenni, ma mie ! Vous aurez votre part quand nous ferons la cricon-criquette et que vous aurez donné de votre personne.

Tous éclatèrent de rire. Le Dauphin avait les manières de son père, gai luron et grand amateur de femmes devant l'Éternel. La fête avant le départ pour la guerre se poursuivrait en joyeuse compagnie.

## 6

Les tavernes de Lyon avaient retenti toute la nuit des rires et des frasques de ces jeunes gens insouciants à qui la vie souriait. Tous pensaient que la guerre serait de courte durée et, bien entendu, suivie de la victoire. Un souper avait été organisé chez Thomas Gadagne, le plus riche et le plus influent des banquiers de la ville de Lyon. D'origine italienne, il avait le goût et les moyens des belles choses et ne manquait pas d'éblouir ses invités par quelque trouvaille raffinée, encore inconnue en France… ce qui avait le don de mettre Quentin en rage. La cour de France ayant l'habitude de séjourner de longs mois à Lyon, il était un familier du palais Gadagne. Il y avait notamment logé en 1525, aux sombres moments où, après la désastreuse bataille de Pavie qui avait vu la déroute de l'armée française, le roi était le prisonnier de Charles Quint à Madrid. Marguerite, la sœur du roi, chargée de négocier sa libération, avait fait appel à Quentin pour l'accompagner. Ensemble, ils avaient affronté la terrible maladie ayant failli emporter François, puis l'intransigeance de Charles Quint qui refusait les compromis. En pénétrant dans la cour du palais, Quentin eut une tendre pensée pour Marguerite. Leur liaison, bien que de courte durée, avait engendré de sérieux problèmes avec Alicia, qui devait devenir son épouse. Le temps avait passé, il était devenu un mari et un père de famille heureux. Quant à Marguerite, elle avait épousé le roi de Navarre et donné naissance à une petite Jeanne[1]. Moins présente que par le passé à la cour de France, elle restait une des principales conseillères du roi. Quentin ne l'avait pas vue depuis plus d'un an mais il recevait régulièrement de ses nouvelles par sa sœur Mathilde, qui était à son service.

Dans la grande salle du premier étage, au décor à fresques, où avaient été dressées les tables, Quentin ne tarda pas à apercevoir Sébastien conversant avec Louis de Ronsard, maître de la garde-robe du Dauphin. Chiara, qui l'avait repéré, se précipita vers lui et lui prit familièrement la main.

— Viendrez-vous à ma table ? Nous deviserons…, minauda-t-elle en battant des cils, qu'elle avait fort longs.

Cette petite s'offrait sans vergogne à lui ! Sébastien avait du souci à se faire.

— Un barbon de quarante ans ne serait pas à sa place parmi vos jeunes amis. Rejoignez-les. J'ai, quant à moi, promis de dîner avec de vieux camarades.

Déçue, Chiara fit une moue qu'elle devait croire irrésistible puis lui adressa un petit signe de main avant de regagner sa place. Cette jeune personne avait besoin qu'on lui mette un peu de plomb dans la

---

1. Jeanne d'Albret, future mère d'Henri IV.

tête. Il proposerait à Sébastien de l'envoyer faire un séjour en Normandie. Auprès d'Alicia, elle apprendrait à se comporter avec plus de pondération. Certes, s'occuper de trois jeunes enfants turbulents serait moins drôle que courir les bals de la cour, mais plus sûr si elle ne voulait à tout jamais gâter sa réputation.

S'approchant de son ami, Quentin lui trouva la mine soucieuse. Pourvu qu'il ne recommence pas à tenir des propos déplacés sur la guerre… Pour une fois qu'il n'avait pas à se préoccuper du déroulement du repas, Quentin avait bien l'intention de profiter de ce qu'on leur servait à manger et à boire.

En découvrant sur la table les plats du premier service, il s'exclama joyeusement :

— Tout ceci me rappelle furieusement la cuisine de notre ami Scappi !

Sébastien ne répondit pas, le regard fixé sur le Dauphin qui, à la table d'honneur, semblait abattu. Il se pencha vers Louis de Ronsard et demanda :

— Ne trouvez-vous pas que le Dauphin n'a pas sa vivacité coutumière ?

— Il connaît parfois des moments d'abattement. Cela lui vient de la triste période où il était otage en Espagne.

— Ce dut être très difficile. Je crois que vous étiez avec lui.

— De très mauvais souvenirs, en effet, soupira Louis de Ronsard.

Quentin, qui venait d'engloutir un délicieux petit pâté d'esturgeon, intervint :

— Louis a fait partie des fidèles, avec Louis de Charny, leur aumônier, Christophe de Foresta, leur médecin, et leur précepteur Benoît Tagliacarne. M. de Ronsard est non seulement un soldat courageux, mais aussi un fin lettré. Amateur de poésie, il a enseigné aux enfants l'art des rimes, et le Dauphin s'y est essayé avec bonheur.

— Cela les distrayait, pauvres enfants !

— Le Dauphin ne parle jamais de son séjour en Espagne, déclara Sébastien. Peut-être pourriez-vous m'en dire plus…

Ravi de l'attention du jeune Italien, Louis de Ronsard ne se fit pas prier.

— Les deux premiers mois furent acceptables. Les enfants avaient été confiés à Éléonore, la sœur de Charles Quint, qui devait épouser notre roi… Mais, en mai 1526, ils furent conduits à la forteresse de Pedraza, au fin fond de la Castille, un lieu désolé, sauvage et inhospitalier. Se doutant que François n'honorerait pas son engagement de lui rendre la Bourgogne, Charles Quint donna l'ordre de traiter les enfants avec sévérité. Prétextant une tentative d'évasion, il les priva de leur personnel français, certains de leurs amis se retrouvant en prison. Les enfants furent alors gardés par des soldats rustres et brutaux. Éléonore elle-même fut interdite de visite. Charles Quint avait déclaré à l'ambassadeur de France : « Le roi de France m'a trompé, je ne lui rendrai pas ses enfants contre de l'argent. S'il compte les avoir par la force, il n'y parviendra pas tant qu'il restera pierre sur pierre dans mon royaume, fussé-je forcé de reculer jusqu'à Grenade. Il n'a point agi en

vrai chevalier ni en vrai gentilhomme, mais faussement et méchamment. »

— Je peux témoigner de la colère et de la tristesse
du roi quand il a appris la manière indigne dont ses
enfants étaient traités, déclara Quentin, espérant
que Sébastien ne prendrait pas une nouvelle fois fait
et cause pour Charles Quint.

L'Italien ne l'écoutait pas, le regard tourné vers la
table royale. Le Dauphin s'était levé en chancelant.
Il s'approcha de son père pour lui dire quelques mots
à l'oreille. Ce dernier lui tapota l'épaule et reprit sa
conversation avec sa bonne amie, Anne de Pisseleu.

— Le Dauphin me paraît bien fatigué, souligna
Sébastien. Peut-être devrais-je le suivre. Il peut avoir
besoin de mes services.

— Laisse faire ses valets, ils ont l'habitude, le rassura Quentin. Tu n'as rien mangé ! Essaie ce bouillon de chapon en gelée.

— Du Mesnil a raison, approuva Louis de
Ronsard. J'ai entendu dire qu'il avait disputé une
folle partie de paume sous un soleil de plomb. Sans
doute souffre-t-il d'une légère insolation. Demain, il
n'y paraîtra plus. Ce garçon est solide. Je suis bien
placé pour le savoir.

Les yeux toujours fixés sur le Dauphin, qui quittait
la salle d'un pas mal assuré, Montecuculli pria Louis de
Ronsard de continuer son récit. Quentin, qui connaissait
l'histoire par cœur, se consacra à la dégustation d'une
tourte d'oignons au fromage frais. Louis de Ronsard,
qui l'avait racontée mille fois, prit un ton théâtral.

— Louise de Savoie, la mère du roi, exigea de
Charles Quint un sauf-conduit pour que Pierre Bodin

puisse aller les visiter. Il fut mené auprès des petits par le marquis de Berlanga, gouverneur de la forteresse. Il découvrit une chambre obscure, sans tapisserie ni parement, avec des paillasses en guise de lit. Les enfants étaient assis sur de petits sièges en pierre sous la fenêtre garnie de barreaux de fer, une fenêtre placée si haut qu'ils ne pouvaient bénéficier ni de l'air ni de la vue. Pauvrement vêtus, ils ne portaient qu'un sarrau de velours noir, des chausses blanches et des chaussures de velours noir. Bodin ne put retenir ses larmes. Il annonça au Dauphin qu'ils pourraient bientôt retourner en France. Au grand dam de l'émissaire, l'enfant se tourna vers Berlanga et lui dit en espagnol qu'il ne comprenait plus le français.

» Ils passèrent dans une autre pièce, encore plus nue, où les enfants se précipitèrent vers deux petits chiens. C'était leur seul plaisir, leur seule récréation. En fait, les chiens étaient là pour attraper les rats. Bodin voulut donner aux garçonnets des bonnets de velours noir brodés d'or et garnis de plumes blanches, mais le capitaine des gardes Peralta les lui enleva, disant qu'il craignait que, par art magique et nécromancie, il ne fît évader les enfants à l'aide de ces bonnets.

— Incroyable ! s'exclama Sébastien. La crédulité n'a pas de bornes. Ça ne m'étonne pas des Espagnols.

— C'est l'hôpital qui se moque de la charité ! plaisanta Quentin. Les Italiens ne sont pas en reste dès qu'il s'agit de magie et d'art alchimique. Ne dit-on pas que Catherine de Médicis, malgré son jeune âge, est très versée dans les sciences occultes ?

Montecuculli se rembrunit.

— Cette réputation de mages et de sorciers qu'on nous fait est bien loin de la réalité, je peux vous l'assurer. Je m'y suis intéressé quand j'étais à Florence.

— Tu vois bien! La capitale des poisons et des assassinats politiques!

— Mais oui! renchérit Louis de Ronsard. Tout le monde sait que la première chose à faire, en Italie, est de se méfier de ce qu'on a dans son assiette et son verre. Des fois qu'un peu de *veninum lupinum*[1] y ait été ajouté.

Quentin éclata de rire en regardant son écuelle. Il la prit entre ses mains, la huma et déclara d'une voix caverneuse :

— N'y aurait-il pas un peu d'aconit dans cette délicieuse tourte aux amandes? À moins que ce ne soit de l'arsenic. Je crois bien déceler une légère odeur d'eau de rose et de miel pour faire passer le tout. Après tout, nous sommes chez des Italiens.

— Ridicule! s'emporta Sébastien. Je n'apprécie guère ces insinuations.

Quentin n'avait jamais vu son ami aussi susceptible.

— Allons, nous plaisantons! Je ne dirai plus rien sur les Italiens, les Florentins, les Borgia, Catherine de Médicis, qui, je fais amende honorable, a tout d'une douce agnelle. Ne gâchons pas cette soirée. Demain nous partons pour la guerre. Nul besoin de poisons pour que de pauvres malheureux y perdent la vie.

---

1. Mélange d'aconit, de *taxus baccata*, d'oxyde de calcium, d'arsenic, d'amandes amères et de poudre de verre mélangés avec du miel.

## 7

Comme prévu, le 3 août, le roi, ses fils et leurs compagnons s'étaient mis en route pour rejoindre Avignon. La reine Éléonore, Anne de Pisseleu, maîtresse royale, la cour et le gouvernement restaient à Lyon. Seuls le cardinal François de Tournon et le chancelier Antoine du Bourg accompagneraient le roi jusqu'à Vienne, où une halte était prévue, puis ils s'en retourneraient à Lyon avec tous pouvoirs pour gérer les affaires courantes de la France.

Tout avait fort bien commencé. Les Lyonnais s'étaient massés sur le parcours du cortège et avaient acclamé le roi et les jeunes princes, tous vêtus de satin et de velours ornés de pierreries, les chevaux caparaçonnés d'or et d'argent. On aurait pu croire à un défilé de la victoire, alors qu'aucune bataille n'avait été livrée. Le Dauphin ne semblait pas tout à fait remis de son malaise de la veille. Pâle et abattu, il ne disait mot. La sueur perlant à son front témoignait de la forte chaleur qui continuait à peser sur la vallée du Rhône.

Quentin chevauchait aux côtés de Louis de Ronsard et de son fils, Pierre, jeune garçon de dix ans, vif et rieur, tout juste arrivé de son Vendômois natal pour prendre son service de page auprès du Dauphin. Sébastien de Montecuculli chevauchait non loin, le visage fermé. Quentin le battait un peu froid. Qu'il ait pris la défense de ses compatriotes était bien naturel, mais son ton vindicatif le dérangeait. Cela ne lui ressemblait pas. Jusqu'à présent, il avait toujours fait preuve de calme et de sérénité lors de leurs discussions. Si l'on ajoutait sa diatribe en faveur de Charles Quint, on pouvait se demander quelle mouche l'avait piqué. Un peu de retenue et de diplomatie dans ses propos seraient les bienvenus s'il comptait rester au service du Dauphin. Quentin savait ce qu'il en coûtait de s'opposer aux puissants de ce monde.

À Vienne, ils se séparèrent. Le Dauphin et sa suite se rendirent chez André Boissat, un riche notable possédant une vaste maison digne de recevoir un prince de sang royal. Quentin suivit le roi, qui serait hébergé par l'archevêque Pierre Palmier dans son palais aux somptueux jardins en terrasse. Après cette chevauchée sous le soleil et dans la poussière, un peu de repos serait le bienvenu. Auparavant, ils devaient assister à une cérémonie d'action de grâces à la cathédrale Saint-Maurice. Une agréable fraîcheur régnait sous les voûtes. Pourtant, le Dauphin n'allait pas mieux. D'une pâleur extrême, il peinait à se déplacer. S'appuyant sur le bras d'un de ses valets, ses jambes refusèrent de le porter, et il dut rester assis pendant la messe. Ses médecins, François Myron et Jean Lemoyle, l'entouraient. Quentin vit le petit Pierre de Ronsard, qui ne savait comment se comporter, regarder son nouveau maître avec inquiétude. Sébastien de Montecuculli n'était pas présent, du moins Quentin ne le vit pas.

Le repas qui suivit, à l'archevêché, fut bien moins gai que celui de la veille. L'inquiétude pour le Dauphin grandissait. Il ne parut pas à table. Pierre de Ronsard collait aux basques de son père, qui conversait à voix basse avec de vieux amis : Adrien de Tiercelin, chambellan ordinaire du Dauphin, Charles de Cossé, seigneur de Brissac, et Jean Babou, seigneur de la Bourdaisière, ce dernier ayant partagé avec lui la captivité du Dauphin. Comme pour conjurer le sort, ils se remémoraient les aventures qui avaient précédé la libération des petits princes.

*

Quand ils avaient appris les conditions indignes dans lesquelles étaient tenus les enfants royaux, le roi et sa mère, Louise de Savoie, s'étaient plaints auprès de Marguerite d'Autriche, la tante de Charles Quint, qui lui en avait fait part. Leurs serviteurs furent rendus aux enfants, qui furent mieux traités mais restèrent étroitement surveillés. Toute la France pleura en apprenant les malheurs des enfants royaux. Pour obtenir leur libération, François I$^{er}$ devait verser à l'empereur deux millions d'écus, dont un comptant.

La noblesse d'Île-de-France décida qu'un dixième des revenus de ses fiefs serait remis au roi. Le Lyonnais fit de même, le Dauphiné se montra particulièrement généreux. L'ordre de Saint-Jean de Jérusalem aussi. Le clergé, les villes furent imposés. Mais ce furent les bourgeois et le peuple qui furent le plus taxés. Certains apportèrent des dons touchants : de la vaisselle d'or et d'argent, des bijoux…

Début janvier 1530, François de la Tour d'Auvergne et Philibert Babou, sieur de la Bourdaisière, trésorier de France, se rendirent en Espagne pour préparer la libération des princes. La rançon devait être versée au plus tard le 1er mars.

Tout le monde espérait qu'à Pâques les enfants seraient libres, mais il fallut attendre deux mois de plus.

Le 29 avril, Montmorency présenta aux représentants de Charles Quint un grand amas d'or ainsi qu'un inestimable trésor : une fleur de lis d'or montée sur le crucifix fait d'un morceau de la vraie croix.

À la mi-mai, il ne restait plus à don Alvarez, maître des monnaies de Charles Quint, qu'à recevoir vingt mille écus sous forme de lingots, mais on apprit que les écus déjà remis étaient d'un aloi inférieur, donc de moindre valeur. Il fallut de nouveau surseoir à la libération des enfants.

Le 10 juin, don Alvarez faisait savoir qu'il était en possession du million et deux cent mille écus. Les caisses furent scellées et entassées dans le château de Bayonne. Elles devaient être remises aux Espagnols au moment où les deux petits princes franchiraient la Bidassoa entre Hendaye et Fontarabie.

Du côté espagnol, on prépara les quatre cents mulets qui devaient accompagner la reine Éléonore, qui attendait à Vittoria. Les enfants étaient à La Puebla.

François et sa mère, partis de Touraine début avril, arrivèrent à Bordeaux le 7 juin. Tout était prêt. Hélas, le connétable de Castille, ayant appris que des troupes françaises étaient massées à Hendaye, fit faire demi-tour aux princes.

Montmorency perdit patience. Dans la nuit du 30 juin, il fit charger les trente et un mulets, accompagnés de gentilshommes. Enfin, les enfants et la reine furent conduits sur les rives de la Bidassoa.

*

Les conciliabules se faisaient de plus en plus pressants. Le repas fut écourté et le roi rassembla les médecins du Dauphin, auxquels s'était joint Jean Champier, médecin personnel du cardinal de Tournon. Le Dauphin était trop mal en point pour continuer la route à cheval, ou même en litière. Il devrait emprunter le Rhône.

Le lendemain, le 5 août, toute la population de Vienne l'accompagna au port. Très émus, certains se tenaient à genoux et priaient à haute voix pour sa guérison. Le Dauphin les remercia chaleureusement, les assurant que son cœur était à jamais à eux et qu'il souhaitait qu'après sa mort ledit cœur fût déposé dans leur église. Il demanda à l'archevêque de bien prendre note de son vœu.

À ces paroles, ceux qui se trouvaient à ses côtés ne purent retenir leurs larmes. Les barges battaient pavillon du Dauphin : écartelé au 1 et 4 de France, au 2 et 3 des dauphins de Viennois de gueules au dauphin d'or.

Le reste de la troupe – le roi, accompagné de plus de cent gentilshommes – s'entassa sur d'autres bateaux, hâtivement réquisitionnés pendant la nuit.

Le roi fit halte quelques heures à Saint-Vallier, chez Jean de Poitiers, père de Diane, dame d'honneur de la reine Éléonore et amie de cœur de son fils Henri. L'inquiétude étant à son comble, il n'y eut pas de festivités. C'est là que François remit au cardinal de Tournon le décret lui donnant ordre de tenir le conseil privé en son absence. Avant son départ pour Lyon, le cardinal recommanda au roi de s'arrêter en son château si le Dauphin se sentait trop mal.

Quentin avait embarqué sur un bateau du Dauphin. Il vit défiler les ports de Condrieu, Serrières, Andance. Les médecins s'affairaient autour du jeune homme, qui se portait de plus en plus mal.

Il le revit avec son frère, six ans plus tôt, à leur arrivée à Saint-Jean-de-Luz. Il était minuit. Épuisés, aussi pâles qu'un rayon de lune, le visage maculé de larmes, ne disant pas un mot, ils avaient été conduits dans leur chambre pour leur première nuit sur le sol de France.

Quelques heures auparavant, une barque emportant don Alvarez, les coffres et onze gentilshommes français avait quitté la rive française de la Bidassoa pendant qu'un autre bateau, avec à son bord le connétable de Castille, les petits princes et onze gentilshommes espagnols, venait à leur rencontre. L'échange avait eu lieu au milieu du fleuve, sur un ponton. Éléonore, nouvelle reine de France, et le cardinal de Tournon étaient arrivés sur une troisième gabarre.

Le lendemain, 2 juillet, ayant repris des forces et retrouvé le sourire, c'est au son du canon que les enfants avaient fait leur entrée dans Bayonne, en compagnie d'Éléonore et de sa suite de près de cent personnes. Ils avaient défilé sous les acclamations du peuple en liesse. Partout des feux de joie avaient été allumés. Un *Te Deum* d'action de grâces avait retenti à la cathédrale Notre-Dame. Sur le parvis, ils avaient assisté, muets d'émerveillement, à une pièce de théâtre.

À Bordeaux, le roi attendait des nouvelles de ses enfants. Quand Montpezat s'était présenté devant lui pour annoncer leur libération, il était tombé à genoux, avait joint les mains et déclaré en pleurant : «Dieu éternel! Quel bonheur, quelle grâce pourrais-je te rendre du bien et de la joie que je reçois de toi?»

Les cloches étaient en branle, trompettes et hautbois résonnaient. Tout le monde accourait. Le peuple dansait dans les rues. Le chancelier Duprat avait fait dresser dans toute la ville des tables chargées de vin et de gâteaux.

Six ans plus tard, presque jour pour jour, la barque sur laquelle voguait le Dauphin le conduisait vers un destin lourd de menaces.

Sur la rive droite, le château de Tournon était en vue, lourde silhouette fortifiée, hérissée de tours, montant la garde au bord du fleuve. L'état du malade ayant encore empiré, les médecins décidèrent de suivre les conseils du cardinal et de s'y arrêter.

Les bateliers durent manœuvrer pour franchir la porte Saint-Julien défendant le port, puis emprunter le chenal de la tour de Glorye. Le silence s'était fait dans les barques. Le Dauphin reverrait-il l'immense porte cloutée qui gardait la forteresse et donnait accès à la cour intérieure?

La famille de Tournon au grand complet les attendait : la comtesse douairière, son fils, bailli royal du Vivarais, avec sa toute jeune femme, et la nièce du cardinal, qui venait d'épouser, quelques jours plus tôt, le comte de la Baume de Montrevel.

Porté sur une civière, le Dauphin pénétra dans la cour et, sur les ordres de Just de Tournon, il fut conduit au rez-de-chaussée, dans une chambre dont les fenêtres donnaient au nord-est sur le Rhône et à l'est sur les collines de l'Hermitage. Il fut installé dans un lit où il s'appuya contre des oreillers de plume. Semblant reprendre un peu de vigueur, il demanda à manger. Ce fut alors le branle-bas de combat en cuisine et d'homériques disputes entre les médecins pour savoir ce qui conviendrait à son état. Il fut décidé qu'un blanc-manger conviendrait. Une poule fut prestement plumée et vidée, et les blancs furent mis à bouillir puis pilés. On y ajouta des amandes broyées. On délaya avec du bouillon, on passa au travers d'une étamine, puis on fit épaissir sur le feu. Les cuisines de Tournon ne disposaient pas de grains de grenade, qui pourtant étaient recommandés. On saupoudra la préparation d'une grande quantité de sucre. Le Dauphin s'en régala et finit presque son assiette. Il avait repris quelques couleurs. Tous crièrent au miracle. Les médecins restaient réservés, mais le roi laissa éclater sa joie. Ce ne serait bientôt qu'un mauvais souvenir. Il pouvait reprendre la route. Dans quelques jours, le Dauphin serait sur pied et le rejoindrait à Valence.

## 8

*Valence, le 14 août.*

L'affaire n'avait pas traîné. François avait donné des ordres pour que Montecuculli soit arrêté dans les plus brefs délais et jeté en prison. L'annonce de son emprisonnement s'étant rapidement répandue, le petit peuple grondait et demandait qu'il soit pendu haut et court. La procédure judiciaire était lancée, l'accusé serait soumis à la question et, si le verdict ne faisait guère de doute, un procès aurait lieu. La date n'avait pas été fixée, le roi devant se consacrer à la guerre.

Quentin était profondément indigné. Sachant son ami innocent, son premier geste fut d'aller voir le roi pour témoigner de ce qui s'était passé aux prairies d'Ainay. Il n'avait pas quitté des yeux Sébastien, et à aucun moment ne l'avait vu ajouter quelque potion à l'eau destinée au Dauphin. François l'écouta d'une oreille distraite. Il venait de recevoir de mauvaises nouvelles du front du Nord : l'armée de soixante mille hommes du comte de Nassau, composée de trois corps de troupes – Allemands, Bourguignons,

Flamands –, assiégeait la ville de Guise. En outre, des espions avaient averti Montmorency que Charles Quint projetait de marcher sur Marseille, de l'assiéger tant sur terre que sur mer et soit de l'emporter, soit d'obliger le roi à livrer bataille. Pour mettre en œuvre ce plan, Charles Quint n'attendait plus que l'arrivée des galères de Doria, qui transportaient une bonne partie de l'artillerie, des batteries et des mines.

François ordonna sèchement à Quentin de retourner à ses occupations. Il devait de toute urgence ordonner la construction de nouvelles fortifications à Arles et vérifier que Saint-Blancard était prêt à assurer la défense de Marseille.

Quentin fulminait. Il avait compris que, pour le roi, la cause était entendue. Accuser son rival de vilénie servait admirablement ses plans. De tout temps, le crime d'empoisonnement avait été considéré comme la pire des trahisons, à laquelle ne pouvaient se livrer que des êtres perfides et des scélérats. Quentin était persuadé que François ne croyait pas à la culpabilité de Sébastien, mais l'occasion était trop belle pour salir la réputation de Charles, ardent défenseur des principes de la chevalerie, chevalerie qui désignait la mort par poison comme l'abomination absolue. Si Quentin voulait tirer son ami de ce guêpier, il lui faudrait trouver des éléments de preuve irréfutables. Pour une fois, il pensa que la guerre avait du bon. En retardant la date du procès, elle lui laissait un peu de temps pour élaborer une stratégie.

Le jour même, en fin d'après-midi, alors qu'il préparait la liste des plats devant être servis au roi pour la semaine, sans parvenir à se concentrer tant le sort de Sébastien le préoccupait, Quentin eut la surprise de voir arriver Chiara. Une Chiara aux yeux rougis, enroulée dans une cape de voyage poussiéreuse, la voix cassée d'avoir trop pleuré et qui se jeta dans ses bras, frémissante d'anxiété.

— Sébastien n'est pas coupable ! s'écria-t-elle.

— Je le sais, mais, hélas, cela va être difficile à prouver.

Déconcertée, elle recula d'un pas.

— Vous êtes son ami ! Vous devez le sauver. Le Dauphin n'a pas été empoisonné. Comment Sébastien aurait-il pu ?

Quentin la prit par le bras et la fit asseoir sur une chaise à haut dossier contre lequel elle s'effondra, visiblement épuisée.

— Ses accusateurs disent qu'il a mis de l'arsenic dans l'eau qu'il a donnée à boire au Dauphin.

— Vous étiez avec lui. Vous pouvez témoigner qu'il n'en a pas été ainsi.

Quentin était au supplice. Chiara devait comprendre à quel point son frère était en mauvaise posture. Il ne devait lui donner aucun faux espoir, quitte à ce qu'elle trouve ses propos cruels.

— Je n'ai pas goûté l'eau, dit-il d'une voix sourde.

— Mais Sébastien, si, souvenez-vous…

— Oui, je l'ai vu en boire une gorgée, mais peut-être l'a-t-il recrachée sans que je le voie…

Chiara se releva d'un bond, la colère flambant dans ses yeux.

— Vous le soupçonnez ! Et vous vous dites son ami ? Vous savez qu'il ne pourrait pas faire une chose pareille. C'est un gentilhomme, un homme d'honneur !

— Comprenez-moi, Chiara. J'essaie de vous montrer quels arguments pourraient servir à démolir mon témoignage. Je n'ai aucun doute sur l'innocence de Sébastien.

Il se garda de lui dire que son frère faisait un bouc émissaire bien commode. Cela n'aurait fait qu'ajouter à sa détresse.

— L'avez-vous dit au roi ?

— Bien sûr !

— Qu'a-t-il répondu ?

— Que Sébastien avait servi Charles Quint et qu'il pouvait très bien avoir été soudoyé pour assassiner le Dauphin.

Quentin vit une lueur de terreur dans les yeux de la jeune fille. Chiara prenait conscience du sort effroyable qui menaçait son frère.

— Ne peut-on rien faire ? demanda-t-elle d'une toute petite voix. Que disent les médecins ?

— Ils ne se prononcent pas sur la cause de la mort.

— On m'a dit qu'il y avait eu visitation du corps du Dauphin…

Chiara disait vrai. Les médecins François Myron et Jean Lemoyle, ainsi que Jean Champier, avaient ouvert le corps avant l'inhumation. Ils étaient assistés de trois barbiers – Louis Buisson, Noël Giraudeau et Jehan Bineau – et d'un apothicaire, Julien Baugey. Cela avait eu lieu le 11 août au château de Tournon, en présence, comme il se doit, de notaires royaux et de membres de l'entourage du Dauphin.

— Ont-ils détecté la présence de poison ?

— Je ne crois pas.

— Vous voyez! triompha Chiara. Ils n'ont rien vu. Il n'y a pas trace de poison.

— Hélas, cela ne suffit pas. L'accusation a été portée par le roi en personne, et la volonté royale est souveraine.

— Même s'il se trompe, s'il est injuste…

Ému par son chagrin, et bien conscient qu'elle avait raison, Quentin resta silencieux. Que pouvait-il faire? Il n'était ni juge ni médecin. Et encore moins le roi.

— Il faut que ces médecins disent la vérité, insista Chiara.

C'était peut-être la voie à suivre, se dit Quentin. Les médecins n'avaient pas assez insisté sur leurs conclusions. S'ils proclamaient qu'il n'y avait pas eu empoisonnement, l'accusation tomberait d'elle-même. François ne pourrait que s'incliner devant leur jugement. Quentin connaissait bien Jean Champier, l'un de ceux qui avaient pratiqué l'ouverture du corps. Ensemble, ils évoquaient souvent l'origine et l'histoire des aliments, sujets qui passionnaient le médecin. Peut-être parviendrait-il à le convaincre de demander audience au roi.

Il promit à Chiara de faire tout ce qui était en son pouvoir, mais lui enjoignit de ne pas se faire trop d'illusions. L'affaire était mal engagée. La jeune fille le remercia avec effusion. Un peu trop au goût de Quentin. Il comprenait son angoisse et son désir d'apporter un peu de réconfort à son frère, mais il aurait préféré qu'elle reste à Lyon. Il craignait ses vaines tentatives de séduction, qui risquaient de compliquer sa tâche.

Il n'eut pas à attendre. D'une voix suppliante, Chiara lui demanda de rester auprès de lui.

— Regardez : je n'occupe qu'une chambre sous les combles de l'évêché.

— Je me ferai toute petite…

— Chiara, dit-il en soupirant, ne faites pas l'enfant. Vous savez bien que c'est impossible. Je vais vous trouver un logement. Il vous faudra être prudente. La foule est très remontée contre votre frère.

— Vous me défendrez…

— Il va sans dire. Néanmoins, tous mes efforts seront tournés vers Sébastien. Je n'aurai guère de temps à vous consacrer. Vous devrez vous montrer à la hauteur de ces moments difficiles.

Saisie par le ton froid de Quentin, Chiara acquiesça en hochant gravement la tête. Puisse-t-elle en être vraiment convaincue !

Quentin se mit en quête de Champier. Le cardinal de Tournon l'avait laissé au service du roi. Il le trouva dans la bibliothèque de l'évêque, travaillant à la rédaction de son futur livre sur l'alimentation à travers les âges. Quand il vit Quentin, il s'exclama :

— Savez-vous qu'en Gétulie[1] les asperges atteignent des proportions extraordinaires ? Elles sont aussi grosses que des cannes de Provence et peuvent mesurer douze pieds[2] de long !

Ce n'était hélas pas le sujet dont Quentin souhaitait s'entretenir. Quand il lui demanda s'il pouvait

---

1. Maroc.
2. Soit 3,60 mètres.

lui relater la visitation du corps du Dauphin, Champier le regarda avec étonnement.

— Voilà un sujet bien rebutant! Ne préférez-vous pas que je vous raconte comment les pêcheurs de Sicile, persuadés que la murène a les dents empoisonnées, n'y touchent jamais avec les mains mais les saisissent avec des pinces?

— Un autre jour, suggéra Quentin. J'aimerais vraiment savoir comment s'est passée l'ouverture du corps.

— Si vous y tenez, soupira Champier. Après avoir prêté serment qu'il s'agissait bien du corps du Dauphin, nous avons procédé comme il suit : le corps, apporté tout nu sur une table, a été visité du dehors. Il n'a été trouvé d'autre cicatrice qu'une apostume[1] située entre les deux épaules. Les muscles du dos, l'entour du col et le haut de la poitrine étaient rouges. La bouche était barbouillée de caillots de sang. Le corps a ensuite été ouvert, et une grande humidité a été constatée dans la poitrine. Les intestins étaient tout jaunâtres, pleins de vents et d'une grande puanteur. L'estomac était vide et de bel aspect, ainsi que la rate. Le foie était de couleur livide et, quand on l'a fendu, une moitié était fort sèche et l'autre moitié normale. Le poumon présentait de nombreuses taches. Le cœur était grand, tout flétri, mou et de couleur unie. Les rognons étaient grands et nets. Comme le Dauphin, pendant sa maladie, se plaignait de violentes douleurs au côté droit, on a regardé s'il y avait quelque apostume, mais nulle n'y fut trouvée.

---

1. Tumeur suppurante, abcès extérieur.

Champier avait débité son discours à toute vitesse. Voyant Quentin faire la grimace, il demanda :

— Ça vous va, ou vous voulez plus de détails sur le sang, les fluides, les chairs ?

— Je vous remercie de cet exposé. Mais avez-vous trouvé trace de poison, d'arsenic par exemple ?

Pressé de retourner à ses écrits autrement plus plaisants, Champier fit un geste de la main comme s'il chassait une mouche.

— Pas de trace d'arsenic, qui foudroie sa victime et dont on voit les marques sur le foie et les intestins. Le ventre gonfle, il y a convulsions et paralysie. Nous n'avons rien remarqué de tel.

Voyant que Quentin n'en avait pas fini, Champier se cala au fond de son fauteuil.

— Je sais ce que vous allez me dire, mon cher du Mesnil. Si nous n'avons pas trouvé trace de poison, pourquoi ce pauvre jeune homme est-il accusé d'empoisonnement ?

Quentin hocha la tête.

— *Primo*, parce que, vous le savez aussi bien que moi, il est toujours malvenu de contrarier la volonté royale, et il semblerait que le roi tienne à trouver un coupable dans le camp de Charles Quint. C'est de bonne guerre. Et *secundo*, avec les poisons, on n'est jamais sûr de rien. Surtout les poisons italiens, volatils et sophistiqués, qui peuvent se rendre indétectables. Qui nous dit que Montecuculli n'était pas en possession d'un venin inconnu de nous, nouvellement fabriqué et conçu de manière à ne laisser aucune trace ?

— Vous ne pourrez donc pas plaider en sa faveur ?

— Ce serait scientifiquement et politiquement une erreur.

Au moins cela avait-il l'avantage d'être clair.

Pressé de retourner à ses travaux, Champier fourragea dans ses feuilles et trempa sa plume dans l'encrier. Quentin se leva. Champier se remit à écrire.

— Sans vouloir vous offenser, reprit Quentin, vous n'êtes pas spécialiste des poisons. N'y aurait-il pas un maître que l'on pourrait consulter ?

— Adressez-vous aux mages, spirites, chiromanciens, sorciers et autres alchimistes qui courent les rues de nos jours. Vous obtiendrez certainement un catalogue très complet des substances pouvant faire passer un homme de vie à trépas.

— Mais un médecin… Un excellent médecin au fait des dernières découvertes ?

— Foutre Dieu, du Mesnil, d'habitude vous êtes plus agréable à fréquenter. Je ne sais pas ce qui vous prend. Je suis un excellent médecin ! Lemoyle et Myron aussi ! Vous allez me mettre en colère. Comme je n'arriverai pas à me débarrasser de vous, partez donc à Lyon, à l'Hôtel-Dieu. Demandez un certain François Rabelais. Je crois qu'il est de retour d'Italie. C'est le meilleur d'entre nous. Toujours à l'affût des dernières nouveautés. Et débarrassez-moi le plancher. Ne revenez que pour me parler d'oies rôties et de tourtes aux herbes, sacrebleu !

## 9

Quentin hésitait. Les chances de convaincre le roi de l'innocence de Sébastien étaient bien minces. Ce Rabelais, dont Champier disait le plus grand bien, consentirait-il à l'aider? Quel médecin sensé accepterait de revenir sur les conclusions de ses collègues? Sur quelles bases le pourrait-il? Peut-être serait-il trop timoré pour affronter l'autorité royale. Quentin n'aimait pas les médecins. Il imaginait celui-ci engoncé dans sa robe noire traditionnelle, la mine sévère et rechignée, le regard froid et méprisant, parlant un jargon incompréhensible du commun des mortels et qui, pour finir, l'enverrait au diable. Entreprendre un voyage de plusieurs jours pour aller au-devant d'un échec ne lui souriait guère.

Il changea d'avis après avoir rendu visite à Sébastien dans sa prison. Craignant de manquer de courage, Chiara lui avait demandé de l'accompagner. Il passa la prendre chez la veuve Demoureaux, qui avait accepté de la loger dans sa petite maison de la rue des Bouchers. La jeune fille était l'ombre d'elle-même, pâle, les traits tirés, les gestes incertains. Si elle prit le bras de Quentin, ce n'était pas par désir de séduction. Chaque pas lui coûtait et, plus d'une fois, Quentin eut peur qu'elle ne s'évanouisse.

Le pire était encore à venir. Quand ils surent qui elle était, les gardes de la prison lui lancèrent des plaisanteries malsonnantes. Quentin dut décliner ses titre et fonction pour que cessent les propos humiliants et les regards égrillards. Il les menaça de s'en plaindre directement au roi. À son bras, Chiara frémissait de honte et de frayeur. Ils les conduisirent dans les entrailles de la prison, où ne pénétrait aucune lueur du jour. Au fur et à mesure de leur progression, l'odeur devenait insoutenable, mélange d'excréments, de pourriture et de moisissure. Chiara fut prise de tremblements, et Quentin dut la soutenir jusqu'à la geôle où croupissait son frère. À travers les grilles, ils purent voir le pauvre garçon allongé sur le sol, grelottant de froid, alors que dehors on se serait cru dans un four.

Retrouvant ses esprits, Chiara l'appela d'une voix douce. Avec difficulté, Sébastien releva la tête, puis la laissa retomber. Sans doute croyait-il rêver. Chiara continua en italien, ce qui provoqua la colère d'un des gardes.

— Pas de baragouin, des fois que vous maniganciez je ne sais quoi !

Alors que Sébastien s'était approché de la grille et serrait dans ses mains celles de sa sœur, Quentin put voir à quel point ces quelques jours de prison l'avaient marqué. C'était pitié ! Lui qui prenait grand soin de son apparence était d'une saleté repoussante, ses vêtements en lambeaux, et son visage portait des traces de coups. Ce qui impressionna surtout

Quentin fut le désespoir qu'exprimait son regard. Il en fut ému aux larmes. Chiara continuait à chuchoter des paroles de soutien et de réconfort, ne pouvant s'empêcher d'y mêler des mots d'italien, ce qui lui valait chaque fois une remontrance des gardes. Lorsqu'elle lui dit qu'ils feraient tout leur possible pour le sortir de là, Sébastien esquissa un pauvre sourire et Quentin put voir qu'il lui manquait plusieurs dents.

Les gardes s'impatientaient, arguant que les visites aux criminels ne devaient pas dépasser le quart d'heure. Quentin exigea qu'ils remettent au prisonnier le panier de nourriture qu'il avait apporté. Les gardes assurèrent qu'ils le feraient. Évidemment, ce n'étaient que fausses paroles. Quentin avait prévu le coup et préparé un autre panier spécialement pour eux. Quand ils découvrirent le pâté de sanglier, la tourte de veau, les saucisses, les talmouses, les darioles, le civet de lièvre en provenance des cuisines du roi, ils ouvrirent la grille et donnèrent au prisonnier son panier. Quentin emporta l'image de Sébastien, les mains tremblantes, déchiquetant une cuisse de poulet rôti. Une déchéance que son ami n'avait nullement méritée. À cet instant, il jura devant Dieu de prouver son innocence.

De bien meilleure humeur et lorgnant sur leurs victuailles, les gardes les raccompagnèrent et les invitèrent à revenir quand il leur plairait. Pour s'assurer définitivement leurs bonnes grâces, Quentin sortit de son pourpoint deux flacons de vin en précisant qu'ils venaient de la table du roi.

L'injustice faite à son ami lui était insupportable. Que ce fût pour de basses raisons politiques rendait l'affaire encore plus sordide. Qu'escomptait le roi en accusant faussement un homme qui n'avait aucun tort ? Ternir la réputation de Charles Quint ? L'empereur avait le cuir assez solide pour ne pas sentir cette piqûre d'épingle. Son armée, l'étendue de ses territoires étaient des arguments autrement plus puissants.

Quentin en eut soudain assez de cette rivalité ridicule entre les deux souverains. Charles voulait la Bourgogne, François voulait Milan. Ils se révélaient incapables de faire la paix. Pour obtenir la libération des petits princes, il avait fallu que Louise de Savoie, la mère de François, prenne l'initiative de contacter Marguerite de Habsbourg, la tante de Charles. Les deux femmes, auxquelles s'était jointe Marguerite, la sœur du roi, s'étaient rencontrées à Cambrai en août 1529, et avaient négocié en faisant fi de leur détestation mutuelle. Marguerite de Habsbourg avait bien des raisons de haïr la France, qui l'avait grandement humiliée : fiancée à trois ans avec le Dauphin qui deviendrait Charles VIII, elle avait été amenée à Amboise pour y être élevée. En 1482, à l'âge de onze ans, elle en était repartie car Charles lui avait préféré Anne de Bretagne !

Quentin s'était profondément réjoui de cette Paix des Dames. Il n'avait pas compris que, pour François, c'était un moyen de gagner du temps, de faire rentrer de l'argent dans les caisses pour reconstituer ses forces armées. Son obsession milanaise était toujours bien présente. Sans jamais enfreindre les termes du traité, mais par tous les moyens, il avait tenté de contrecarrer Charles Quint. En fomentant des troubles en Allemagne, en s'alliant avec Soliman le Magnifique qui menaçait directement les possessions de l'empereur… Tant de duplicité, pour une ambition somme toute mineure, avait exaspéré Quentin. La guerre ne cesserait donc jamais? Les morts se compteraient encore par milliers. François était un bon roi tant qu'il n'était pas question de Milan… et de Charles Quint.

Pendant longtemps, Quentin avait cru que son destin serait d'être le grand maître de Chambord, comme le lui avait promis François. Il aurait pu en faire un lieu de délices, avec toutes les idées nouvelles qu'il avait glanées en Italie. Hélas, à cause des guerres, les travaux prenaient sans cesse du retard. On en était encore à la construction du donjon. Quant à l'aile du roi à l'est et la galerie ouest, elles étaient à peine sorties de terre. Certes, le manoir du Mesnil, avec son unique corps de logis à deux étages, était bien modeste au regard de cette chimère aérienne. Les poules, les vaches, les brebis normandes ne demandaient ni lits tendus de soie, ni tapis d'Orient, ni plats en majolique, ni verres de Venise, mais elles étaient les garantes d'une vie de famille paisible et joyeuse.

À plusieurs reprises, Quentin avait failli quitter le service du roi. Leur vieille amitié l'en avait toujours empêché. Aujourd'hui, il se posait sérieusement la question. La vie était si courte. Et si fragile. Il avait perdu bien des êtres chers. Son père, Léonard de Vinci, son ami Verrazzano, mort dans d'horribles circonstances, mangé par des anthropophages dans une île au large des Indes occidentales[1].

L'exécution de Thomas More, l'année précédente, l'avait terrifié. Cet homme à l'esprit lumineux, si intègre, si généreux, si dévoué à sa famille avait eu la tête coupée pour ne pas avoir soutenu la demande d'annulation du mariage d'Henri VIII et de Catherine d'Aragon. Quentin l'avait côtoyé en 1525, au camp du Drap d'or, alors que Thomas More était chancelier d'Angleterre… et il aurait souhaité pour la France un homme de cette envergure. Thomas More avait entraîné dans sa chute un autre de ses amis, John Philbert, maître d'hôtel d'Henri VIII, qui avait pris fait et cause pour lui. John était un être fantasque et délicieux ; il adorait la cuisine et séjournait fréquemment chez les du Mesnil, en Normandie. Il manquait terriblement à Quentin. Et à Alicia. Et aux enfants.

Et maintenant, Sébastien ! Qui lui avait dit combien il serait heureux de faire la connaissance de sa famille. Qui n'avait que lui pour prendre sa défense.

Quentin fit le vœu de l'emmener pêcher la truite avec ses deux garçons, de lui faire découvrir les grasses prairies normandes et les forêts profondes.

---

1. En 1528, certainement en Guadeloupe.

## 10

La chaleur était toujours aussi insupportable. En s'épongeant le front, Quentin songea que ce voyage à Lyon ne se déroulait pas sous les meilleurs auspices. Le roi avait vu son départ d'un très mauvais œil et ne lui avait donné son autorisation qu'à condition qu'il soit de retour sous quatre jours. Cela lui laissait bien peu de temps pour trouver et convaincre le Dr Rabelais.

Les abominables remugles montant du lit du Rhône lui levaient le cœur. Sur la berge, il vit des chiens errants se disputer le cadavre d'un de leurs congénères. Des tas d'ordures baignaient dans une boue jaunâtre, que de jeunes enfants en haillons trituraient à la recherche de quelque rebut. La sécheresse qui sévissait et la guerre qui mettait sur les routes des milliers de Provençaux n'allaient-elles pas provoquer des émeutes de la faim, comme cela s'était produit sept ans auparavant[1]? Le royaume n'avait nul besoin de troubles supplémentaires.

L'Hôtel-Dieu de Notre-Dame de la Pitié du Pont-du-Rhône se dressait devant lui. Il hésita. Lui

---

1. La Grande Rebeyne, qui provoqua pillages et saccages.

qui détestait voir couler le sang n'en menait pas large à l'idée de pénétrer dans ce lieu où éclopés, blessés, scrofuleux, vérolés, fiévreux et vénériens s'entassaient. Pensant aux souffrances qu'endurait Sébastien dans sa geôle, il prit une profonde inspiration et franchit la porte d'enceinte. Il croisa un groupe d'enfants qui portaient autour du cou un écriteau indiquant qu'ils étaient de «pauvres orphelins sortant de l'Hôtel-Dieu et demandant l'aumône pour Dieu». Le destin de ces pauvres petits était, hélas, tout tracé : s'ils ne mouraient pas de faim ou de maladie, les garçons n'auraient d'autre choix que de rejoindre une bande de détrousseurs et les filles d'entrer dans quelque bordel. Il eut une pensée émue pour ses propres enfants, qui jamais n'auraient à subir ces terribles épreuves. Des malades portant bandages étaient accroupis à l'ombre d'un mur ; des vieux décharnés, édentés, dépenaillés, se tenaient les uns contre les autres comme s'ils tentaient de tenir la mort à l'écart. Aux regards qu'ils lui lancèrent, il éprouva un profond malaise. Un homme comme lui, présentant tous les signes de la richesse et de la puissance, n'avait rien à faire là. Non pas qu'il eût peur de se faire détrousser, les pauvres hères étaient bien trop faibles pour s'y risquer, mais la vue de cette misère le prenait aux tripes. Il pressa le pas.

De part et d'autre de l'entrée s'ouvraient deux grandes salles. Quentin se dirigea vers celle de gauche, où il découvrit deux rangées de châlits, chacun occupé par trois hommes. Il devait y avoir une bonne trentaine de ces couches garnies d'épais draps blancs. L'odeur était insupportable, et les gémissements et râles qui montaient de certains lits l'étaient plus encore. Pris de dégoût, Quentin sortit en toute hâte et se dirigea vers l'autre salle, hélas en tout point semblable, si ce n'est qu'elle était occupée par des femmes. Il tournait les talons quand une religieuse fondit sur lui en vociférant :

— Ah! Vous voilà enfin! Ce n'est pas trop tôt! Où sont vos instruments? Il faut faire vite. La gangrène a gagné la cuisse. Il faut amputer, sinon la pauvre Madeleine va mourir.

Petite et boulotte mais dotée d'une poigne de fer, elle l'avait saisi par le bras et l'entraînait à sa suite. Sentant qu'il renâclait, elle s'arrêta, leva son petit visage ridé vers lui et s'exclama :

— Bonté divine! Vous n'êtes pas Marceau Bidoult, le barbier-chirurgien. Ne m'en veuillez pas, j'ai la vue basse et l'âge n'arrange rien. Mais que fait ce maudit traîne-savates? Jamais là quand on a besoin de lui. Une vraie plaie! Vous ne seriez pas chirurgien, par hasard?

— Pas le moins du monde, ma sœur. Je suis à la recherche d'un certain Dr Rabelais.

Les yeux de la religieuse lancèrent des éclairs.

— Ce bon à rien! fulmina-t-elle. Qui nous a laissés tomber l'année dernière sans prévenir pour aller faire le beau en Italie avec je ne sais quel prince ou évêque ou cardinal. Et qui revient la bouche en cœur, s'étonne qu'on l'ait remplacé par Pierre du Castel. En voilà un qui ne se prend pas pour de la merdaille… Quoique, il faut l'avouer, c'est un excellent médecin, un des meilleurs qu'on ait jamais eus. Et au moins, avec lui, les malades sont à la fête. Toujours le mot pour rire. Une plaisanterie par-ci, une bonne histoire par-là, même si des fois ses histoires sont un peu lestes.

Dans le lit de droite, une des trois femmes fut prise de vomissements. La religieuse se précipita avec un bassin, recueillit la sanie et revint vers Quentin, l'air soucieux.

— Voyez, il y a du sang, dit-elle en agitant le récipient. La pauvre n'en a plus pour longtemps. M'étonnerait qu'elle passe la nuit.

Tentant de refouler sa propre envie de vomir, Quentin s'était écarté et marchait à reculons vers la sortie.

— Il n'est pas ici, votre Rabelais. Pour lui faire les pieds, on l'a affecté à Saint-Laurent-les-Vignes, où on soigne les contagieux. Avec un peu de chance, vous l'y trouverez, s'il daigne faire sa visite du soir. Ou alors, chez lui, rue Dubois, à côté de Saint-Nizier. Sinon, dans une des tavernes où il se pique le nez plus souvent qu'à son tour.

Quentin la remercia, la salua de loin et partit d'un pas pressé. Il bénit le Ciel de l'avoir fait naître dans une famille riche et puissante. Jamais il n'aurait à fréquenter ces horribles hospices destinés aux miséreux. S'il tombait malade, à Dieu ne plaise, il ferait quérir un médecin et serait soigné chez lui, confortablement installé et entouré des siens. L'idée de devoir partager sa couche avec deux autres malades, de baigner dans leurs humeurs, voire d'assister à leur agonie, lui donnait des sueurs froides. Il songea à Alicia, qui connaîtrait prochainement les douleurs de l'enfantement et adressa une fervente prière à saint Edme, patron des accouchées, pour que tout se passe au mieux. Ils avaient perdu deux enfants, un garçon mort-né et une fille qui avait succombé à la rougeole dans sa première année. Les nouveau-nés sont si fragiles ! C'était ainsi, et la nature leur faisait la grâce de conserver en bonne santé Pierre, Marie et François. Le nom des Du Mesnil ne disparaîtrait pas, comme l'avait souvent craint Quentin.

N'ayant pas la moindre idée d'où se trouvait l'hôpital Saint-Laurent-les-Vignes, il avisa un garçon d'une dizaine d'années qui abordait les passants pour leur proposer ses services. Il lui demanda de le conduire à destination.

— Chez les pestiférés ? Pas question ! Allez-y tout seul, grogna le gamin.

Quentin sortit de sa bourse une pièce et l'agita sous son nez.

— Si vous m'en donnez deux, je suis votre homme.

— Marché conclu !

Avec un nom pareil, il était évident que l'hôpital devait se situer hors des murs de la ville – ce qui se concevait pour un hospice où les malades étaient maintenus en quarantaine. En effet, il leur fallut cheminer un bon moment pour atteindre le confluent du Rhône et de la Saône. Le petit chercha à savoir pourquoi un homme de qualité comme Quentin voulait se rendre en un lieu aussi peu recommandable. Était-il lui-même malade ? Il faudrait alors doubler, voire tripler la somme promise. Quentin le rassura, il était en parfaite santé. Ce n'était pas le cas du petit bonhomme, maigre comme un clou et aussi pâle qu'un lait d'amandes. Il raconta que ses parents étaient morts l'année suivant la Grande Rebeyne, quand la peste avait frappé Lyon. Il en avait réchappé, puis avait été placé à l'hôpital La Chanal. Il avait bénéficié des bienfaits de l'Aumône générale, créée par de généreux Lyonnais pour venir en aide aux crève-la-faim. Généreux mais exigeants, Quentin le comprit très vite quand Mathieu lui raconta que, s'ils refusaient de nettoyer les rues ou de construire les fossés de Saint-Sébastien, ils étaient sommés de quitter la ville. Il lui dit aussi qu'on les enfermait dans la tour de l'Aumône et qu'il n'avait qu'une hâte : s'affranchir de cette lourde tutelle et partir sur les routes mener sa vie comme il l'entendait. Sentant qu'il y avait peut-être danger à parler aussi librement à un inconnu qui pouvait avoir partie liée avec les bons bourgeois de Lyon, il se tut brusquement et coula un regard inquiet vers Quentin.

— N'aie crainte, lui dit ce dernier. Je ne dirai rien de tes projets. Raconte-moi plutôt ce que tu sais sur cet hôpital Saint-Laurent.

Soulagé, le gamin ne se fit pas prier.

— On y amène les malades par bateau pour qu'ils n'infectent pas les Lyonnais. Je crois que c'est messire Thomas Gadagne qui le fit bâtir à ses frais il y a une dizaine d'années. Nous y voilà.

Mathieu, comme il avait dit se nommer, montrait du doigt la rive de la Saône où se dressait un grand bâtiment de deux étages qu'un large escalier faisait communiquer avec la rivière. Il tendit la main. Quentin lui remit quatre pièces et lui souhaita bonne chance. Le gamin esquissa une révérence, le remercia pour sa générosité, lui conseilla de ne pas trop s'attarder et détala en direction de la ville.

## 11

De nouveau, Quentin se prépara à affronter un spectacle éprouvant, avec en prime le risque de côtoyer des malades très contagieux. Curieusement, l'hôpital semblait désert. Il est vrai qu'aucune épidémie de peste n'avait été signalée. Quentin traversa plusieurs petites salles, arriva dans une cour intérieure avec au centre une élégante fontaine. Soulagé, il s'apprêtait à gravir les marches menant aux galeries du premier étage quand il vit surgir devant lui un groupe d'hommes dégageant une forte odeur de soufre, édentés, aux cloisons nasales perforées, aux lèvres dégoulinant de bave. On aurait cru que leur bouche abritait un cent d'escargots. Quentin recula, trébucha sur une marche, faillit tomber. L'un des malades lui fit un petit signe se voulant amical. Quentin avait reconnu les marques de la vérole à son dernier stade de développement.

— Oh, l'ami ! Pouvons-nous vous aider ? demanda aimablement le vérolé.

— Je cherche le sieur Rabelais. Mais peut-être n'est-il pas là. Je peux revenir… un autre jour…

Ou jamais, se dit Quentin *in petto*, peu désireux de poursuivre la conversation.

Ce n'était certes pas la première fois qu'il se trouvait en présence de vérolés, mais cette maladie le terrifiait. Elle avait commencé à faire des ravages à la fin du siècle précédent. On l'appelait le «mal napolitain» car les soldats, menés par Charles VIII pour reconquérir le royaume de Naples, en étaient revenus affectés, et la maladie s'était promptement répandue dans la population. Toute son enfance avait été bercée par les récits des progrès de l'épidémie. On disait que le scorbut, la lèpre, la variole et le typhus avaient contracté mariage, et que de cette union était née cette peste. On accusait les inondations, les chaleurs excessives, les tremblements de terre, l'évaporation des mers, la putréfaction de l'air, l'abandon de cadavres sans sépulture, l'ingestion de fruits mystérieux, de vins frelatés, de poissons malades, de viande de chat, de lézard, de singe, le sang menstruel impur, les rapports sexuels avec les animaux... Ces histoires avaient nourri les cauchemars du petit Quentin. À Cognac, puis à Amboise, où il avait été élevé en compagnie du futur roi de France, il avait vu de solides soldats se transformer en loques humaines et mourir abandonnés de tous tant la terreur était grande. Les femmes et les enfants n'étaient pas épargnés. Puis, l'épidémie s'était un peu calmée, du moins était-elle devenue moins virulente. Les malades mouraient plus lentement... mais ils étaient toujours bien présents.

— Vous le trouverez à l'étage, occupé à faire suer leur vérole à quelques-uns de nos infortunés camarades.

L'odeur de soufre le guida jusqu'à de petites cabines où des malades étaient allongés sous un dais ou sur des civières. Une chaleur insoutenable se dégageait de réchauds placés au centre de ces alcôves.

— Il n'y a plus de place, revenez demain, s'entendit-il dire.

Un homme un peu plus âgé que lui, vêtu de la robe noire des médecins, légèrement bedonnant, au visage rond et au sourire épanoui, se tenait devant lui.

— Hum, hum… Vous ne m'avez pas l'air très malade. Avez-vous des ulcères calleux ? Il suffira certainement de les cautériser. Je ne vois pas sur votre peau de pustules avec croûtes. Vous n'avez pas la gueule tordue, vos doigts ne sont pas déformés. Allez, ouste ! Passez votre chemin. Réjouissez-vous d'échapper à la friction mercurielle, car je vous prie de croire que cela n'a rien d'une partie de plaisir.

Un hurlement de douleur l'interrompit. Le médecin se précipita vers une des étuves où un homme d'une trentaine d'années au costume de barbier-chirurgien, portant des gants, une fiole à la main, s'approchait d'une femme au regard terrorisé.

— La pauvre ! s'exclama le médecin, elle en est à son quatorzième jour de traitement. Regardez-la, son visage reluit comme le verrou d'un saloir, ses dents lui tressautent comme les touches d'un clavier d'orgue ou d'épinette, et son gosier écume comme celui d'un verrat.

Le chirurgien proféra quelques paroles d'encouragement à la pauvresse et commença à l'enduire de ce que Quentin savait être du mercure, le seul médicament censé guérir la vérole.

— Elle va encore rester une semaine dans ce four, reprit le médecin.

Elle réclama à boire. Avec une bienveillance qui étonna Quentin, le barbier-chirurgien interrompit sa friction et lui tendit un verre d'eau.

— Elle va en mourir. Pas de la vérole, mais d'un affaiblissement général et des effets nocifs du mercure. Encore heureux que l'homme que vous voyez, Antoine Griot, soit un ange. Aucun de ses malades n'est mort d'avoir été oublié dans les étuves, comme cela se produit fréquemment. Mais tout ça ne me dit pas ce que vous venez faire ici. Êtes-vous parent avec un de ces pauvres malheureux? Votre mise me dit que non. Seriez-vous quelque bourgeois de Lyon venu me faire encore des remontrances sur je ne sais quel chapitre de loi que je n'aurais pas observé? Allez-vous me chanter pouilles? Trouver que je ne remplis pas bien mon office?

Ce médecin était un fieffé bavard. Peut-être, comme l'avait laissé entendre la bonne sœur de l'Hôtel-Dieu, taquinait-il trop la bouteille? S'il était le fameux François Rabelais qu'on lui avait conseillé, autant reprendre illico le chemin de Valence. Il était bien trop fantasque pour lui être d'une quelconque utilité. Ne voulant pas se montrer par trop impoli en s'esquivant sans explication, Quentin précisa qu'il cherchait le Dr Rabelais.

— Vous avez une chance inouïe, car c'est bien moi, François Rabelais, diplômé de la célébrissime université de Montpellier, buveur et joueur à mes heures, grand amateur des merveilles de la nature, prêt à tout pour rire un bon coup en compagnie aimable et choisie. Que puis-je pour vous?

Quel homme étrange! D'habitude, les médecins arboraient une mine compassée et ne parlaient que de sujets graves. Quentin ne se souvenait pas d'en avoir vu plaisanter. Or, celui-ci semblait prendre tout à la légère.

— Vous déciderez-vous à me dire pourquoi vous me cherchez, ou resterez-vous planté là jusqu'à la saint-glinglin? Mes vérolés n'ont pas la vie devant eux. Même si je ne suis guère payé, je leur dois soins et attentions.

Une plainte déchirante se fit entendre. Le barbier-chirurgien sortit en trombe de l'étuve.

— Elle fait des convulsions. J'ai peur qu'elle ne trépasse! s'écria-t-il.

— Poussez-vous de là, ordonna Rabelais à Quentin. Passez dans deux heures à la taverne des Trois Cornets.

Quentin ne se fit pas prier. Il n'avait aucune envie d'assister à l'agonie de la pauvre femme. Avec soulagement, il sortit de l'hôpital et alla s'asseoir sur les berges de la Saône. Il se sentit gagné par un profond découragement. Disculper Sébastien lui semblait mission impossible. Et ce n'est pas ce médecin bizarre qui pourrait l'y aider. Il fut pris d'une envie de quitter Lyon sur-le-champ et de galoper à bride abattue jusqu'en Normandie, serrer Alicia et ses enfants dans ses bras et leur dire combien il les aimait. Cela lui parut comme la chose la plus

raisonnable à faire. Loin des batailles, des empoisonneurs et des vérolés !

— Voulez-vous que je vous conduise quelque
part ?

Mathieu avait surgi à ses côtés et s'accroupit dans
l'herbe.

— Je vous ai attendu. Je me suis dit que vous
auriez peut-être besoin de mon aide. Je peux vous
montrer les curiosités de Lyon, ses églises, ses palais,
ou, si vous le souhaitez, vous indiquer les meilleurs
endroits où trouver des filles…

Quentin sourit à cette offre. Après sa visite aux
vérolés, c'était bien la dernière chose à lui proposer.
Car chacun savait que c'étaient les prostituées napo-
litaines qui avaient transmis la maladie aux soldats
français.

— C'est très aimable à toi, mais je saurai m'en
passer. Par contre, tu pourrais me dire où se trouve
la taverne des Trois Cornets.

— Facile ! s'écria le gamin, enchanté. C'est dans le
quartier des libraires, à côté de l'atelier du Griffon.

— Alors, je connais. Je pourrai m'y rendre seul.

Voyant l'air chagrin de Mathieu, Quentin ajouta :

— Quoique, à la réflexion, je risque de me perdre.
Tu me conduiras.

Ravi à la perspective d'empocher quelques pièces
de plus, le petit sauta sur ses pieds. Quentin irait
donc au rendez-vous fixé par Rabelais.

Ils avaient tout leur temps. Ils reprirent le chemin
de la presqu'île en évitant de longer la berge où des
ventrailles d'animaux abandonnées par des bouchers

négligents pourrissaient sur le gravier. Tout à sa mission d'accompagnateur patenté, le gamin commentait tout ce qu'il voyait : un porche orné d'une tête de lion, des passages menant selon lui à des souterrains sous la Saône, un puits miraculeux où un martyr chrétien s'était noyé en voulant échapper à ses poursuivants… Rue du Bœuf, il raconta que jusqu'à peu habitait là un étrange personnage, un mage, toujours accompagné d'un grand chien noir au regard fou. Quentin, qui l'écoutait d'une oreille distraite, l'interrompit.

— Tu veux parler de Cornelius Agrippa ?

— Je ne sais pas comment il s'appelait. On dit qu'il conversait avec le diable et pouvait vous transformer en chauve-souris. Il est mort l'année dernière. On raconte que, juste avant son trépas, il avait enlevé le collier du chien qui est allé se jeter dans la Saône.

Quentin gardait un souvenir cuisant de sa rencontre avec Agrippa et son chien démoniaque. Dix ans auparavant, en partance pour Madrid afin de porter secours à François, il avait été soigné par le mage-médecin qui en avait profité pour lui délivrer d'épouvantables pronostications. Quentin était censé trahir le roi, causer la perte de sa propre famille et autres joyeusetés. Grâce à Dieu, rien de tel ne s'était produit. François était rentré sain et sauf en France, Quentin avait épousé Alicia, des enfants étaient nés et perpétueraient le nom des Du Mesnil. Mais il sentait encore sur lui le souffle âcre du grand chien noir, voyait rouler ses yeux jaunes et se retrousser ses larges babines assoiffées de sang. Que l'un et l'autre fussent morts était une excellente nouvelle.

Voyant que le gamin lorgnait l'étal d'un marchand d'oublies, il lui en acheta puis héla une vendeuse de petits pâtés à la viande. La pâte avait bonne allure, et la farce, selon la jeune fille, était faite de viande de porc et d'herbes. Elle lui proposa ses dernières talmouses au bon fromage des Alpes. Ils firent affaire sous le regard intéressé de Mathieu. Quentin alla s'asseoir sur les marches de l'église Saint-Nizier. Le gamin restait debout à ses côtés, n'osant croire à sa bonne fortune.

— Je ne vais pas manger ça tout seul. Tu dois m'aider. Il y en a bien pour six.

Mathieu ne se fit pas prier. Avec avidité, il se jeta sur les petits pâtés.

La bouche pleine, il continua à décrire les curiosités de la ville.

— Savez-vous qu'on appelle Lyon «Mirelingue la Brumeuse», et qu'on peut circuler d'un quartier à l'autre sans jamais prendre une rue, juste en passant par des escaliers, des galeries, des arrière-cours, des couloirs obscurs…

— Je vois que tu connais parfaitement ta ville. Voilà qui me donne une idée pour ton avenir !

— Vous me prendriez à votre service ? s'exclama le gamin, plein d'espoir.

— Pas moi. Je ne suis que de passage à Lyon. Mais je connais bien les Gadagne. Ils emploient beaucoup de monde, et tu ferais un garçon de courses parfait.

— Ce serait magnifique !

— Il me faut trouver du papier, une plume, de l'encre, et j'écrirai un mot de recommandation que tu remettras à Thomas Gadagne.

Le gamin était déjà debout, époussetant les miettes sur son sarrau.

— Facile! dit-il. Nous allons dans le quartier des imprimeurs. Ils doivent avoir tout ça.

Au moins, la journée serait marquée par une bonne action, pensa Quentin. Mathieu filait comme un lapin à travers la foule qui commençait à envahir les ruelles en ce début de soirée. Pour la plupart, la journée de travail était terminée et l'on pouvait se permettre de musarder un peu. Ils furent très vite rue Mercière, où étaient rassemblés libraires et imprimeurs. Avec nostalgie, Quentin pensa à son vieil ami libraire qu'il visitait chaque fois qu'il s'arrêtait à Lyon. Il avait coutume de lui acheter des livres de botanique et d'agriculture pour son père, et des livres de cuisine pour son usage personnel. C'est ainsi qu'il avait découvert, en 1516, *De Honesta Voluptate*, de Bartolomeo Sacchi, un Italien qui l'avait beaucoup inspiré. Puis, en 1525, il lui avait acheté le *Libre de Coch*, de Roberto de Nola, un Espagnol et, avec l'aide d'Alicia, il l'avait traduit en français. Malheureusement, le libraire qui lui avait commandé ce travail était mort peu de temps avant la fin de la traduction. Pris par ses activités à la cour et sa vie de famille, Quentin n'avait pas eu le temps de chercher un autre imprimeur. S'il quittait le service du roi, il pourrait s'amuser à reprendre le projet. Rouen était une ville où l'imprimerie prospérait, quoique dans une moindre mesure qu'à Lyon, véritable capitale de l'édition de livres.

Une subtile odeur d'encre, mêlée à celle du papier et du cuir, flottait dans la rue principale et les ruelles avoisinantes où étaient installées les imprimeries, dans les derniers étages des maisons pour bénéficier de plus de lumière. Par les fenêtres ouvertes, on entendait le vacarme des presses, le cliquetis métallique des caractères.

Quentin n'eut aucun mal à se procurer du papier. D'une excellente qualité, avait précisé le marchand, tout juste arrivé des montagnes de la Loire. Ne croyant pas encore à sa chance, Mathieu l'avait regardé prendre la plume d'oie, la tremper dans l'encre et tracer des signes auxquels il ne comprenait goutte mais qui lui offriraient peut-être la chance d'une vie nouvelle.

## 12

Le Dr Rabelais était attablé devant un pichet de vin et une écuelle de potage au mouton. Le barbier-chirurgien, jeune homme pâle et décharné, assis à ses côtés, l'écoutait attentivement. Toujours flanqué de Mathieu, Quentin s'assit en face d'eux. Le jeune homme voulut se lever. Rabelais le retint.

— Reste, Antoine. Nous n'avons pas fini et, corbleu, ces personnes que nous ne connaissons pas sauront bien attendre la fin de notre discussion.

Pas commode, ce médecin, se dit Quentin, qui eut tout le temps de détailler les traits de son visage : la bouche largement fendue, le nez saillant, les yeux toujours en mouvement, la barbe poivre et sel bien taillée.

Voyant Mathieu lorgner avec envie la tranche de mouton que Rabelais n'avait pas terminée, Quentin demanda à l'aubergiste, un gros homme qui empestait le suif, de leur servir la même chose ainsi qu'un autre pichet.

— Condrieu ou Hermitage ? demanda le patron.

— Condrieu, et du meilleur ! répondit Rabelais.

Connaisseur, ce médecin. Et bon buveur, comme allait le voir Quentin, qui dut très vite en commander un deuxième, puis un troisième. Antoine, le barbier-chirurgien attitré du Dr Rabelais, ne buvait pas. Et ne mangeait pas. Il n'avait pas ôté ses longs gants noirs. Quentin espérait que ce n'étaient pas ceux dont il s'était servi pour toucher les vérolés. Son inquiétude grandit en entendant les deux hommes de l'art parler d'un médecin de Padoue, un certain Fracastor, qui pensait que la maladie était due à des germes se transmettant par contact ou par des objets souillés.

— Que ce soit en mixture, en extraits, en décoctions, en électuaires ou en infusions, les coquilles de noisette, l'aristoloche, la douce-amère, la salsepareille, la belladone, l'ortie, les vipères, le foie de loup, les lézards, les tortues, les hannetons, les sauterelles ou les bains de sang de bœufs fraîchement tués, ça ne sert à rien! vitupérait le sieur Rabelais. Nos vérolés meurent.

Un médecin qui reconnaissait l'inefficacité de ses traitements, voilà qui n'était pas courant. De plus, il semblait sincèrement désolé de l'issue fatale réservée à ses malades.

— Bon, ce n'est pas tout ça! s'exclama-t-il en vidant son verre et en agitant le pichet pour qu'on vienne les resservir. Voyons donc ce que messire a à nous dire.

Pris de court, Quentin bafouilla qu'il avait entendu dire qu'il était un médecin hors pair, le meilleur de Lyon, instruit des savoirs les plus anciens et des inventions les plus modernes…

— Oh! Oh! Que de belles lècheries vous me faites là… Je me méfie des flagorneurs et autres hypocrites, diseurs de patenôtres, chattemites, invocateurs des saints, cagots, porteurs de reliques, cafards, pattes pelues… Que me vaut tant d'éloges? Que me voulez-vous?

Quentin lui expliqua les raisons de sa venue à Lyon. Le Dr Rabelais fronça les sourcils.

— Le Dauphin est mort, j'en suis fort triste. Je ne peux plus grand-chose pour lui. Que je sache, je ne ressuscite pas les morts. Je suis médecin, pas Dieu.

— Vous m'avez mal compris, s'énerva Quentin. Il s'agit de prouver qu'il n'a pas été empoisonné.

— Comment le saurais-je? Le roi a assez de médecins autour de lui pour en décider. Et j'ai des vivants à sauver, moi.

— Justement, vous sauveriez d'une mort certaine Sébastien de Montecuculli, accusé à tort.

— Vous êtes bien certain qu'il n'est pas coupable?

Quentin répondit affirmativement. Le visage de Rabelais se fendit d'un grand sourire.

— Vouloir sauver un ami est tout à fait honorable, mais contrarier la volonté du roi me semble assez déraisonnable. Vous voudriez que j'accepte de me mêler à cette sale histoire, de me retrouver dans ce nid de vipères où grouillent mes chers collègues. Champier est un brave homme, mais, si je marche sur ses plates-bandes, il m'étripera sans hésitation. Je les connais, ces gens de cour. Certains sont tout à fait respectables, comme le cardinal Jean du Bellay. Je suis son ami, il est mon protecteur. Je soigne son corps, il assure ma subsistance. J'étais avec lui à Rome ces derniers mois. Je ne suis rentré que depuis début mai. La dernière fois que j'ai quitté mon poste, certes sans prévenir, on m'a remplacé à l'Hôtel-Dieu, ce qui me vaut aujourd'hui de soigner les plus démunis. Et vous voudriez que je me mette encore plus mal avec les autorités en vous suivant dans votre folle aventure. Que nenni, mon cher! Payez-moi encore un coup à boire et passez votre chemin.

La messe était dite! Sébastien croupirait dans sa geôle jusqu'au jugement qui conclurait à sa culpabilité. Sans nul doute, il serait condamné à mort. L'image de son ami montant au bûcher sous le regard désespéré de Chiara lui vint à l'esprit. Impossible! Il ne pouvait laisser faire cela.

— Des médecins ont dit que, selon Avicenne[1], l'action des poisons se situe toujours et exclusivement dans le cœur, et que, si le Dauphin avait subi une saignée, il aurait été sauvé, reprit-il.

— Avicenne! s'exclama le médecin. Combien de bêtises n'a-t-il pas dites! Et vous en avez d'autres comme ça?

— Qu'on aurait dû mettre le corps du Dauphin à l'intérieur d'un cheval ou d'un bœuf tué pour l'occasion pour redonner de la chaleur animale au malade… Il paraît que c'est ainsi que César Borgia fut sauvé d'une tentative d'empoisonnement.

— Excellent! De mieux en mieux! Avec de tels médecins, le Dauphin n'avait guère de chances d'en

---

1. Médecin persan du XI<sup>e</sup> siècle.

réchapper. Ce n'est pas en l'officine des Arabes qu'il faut apprendre la bonne et sûre médecine. Comme nombre de mes camarades, je réfute la botanique et la pharmacopée arabes et ses drogues compliquées, inopérantes, voire dangereuses. À Avicenne et Averroès[1], je préfère Hippocrate[2], Galien[3] et leurs démonstrations méthodiques. Ça me donnerait presque envie d'aller discuter avec ces fieffés crétins de médecins qui croient encore en ces vieilles lunes.

Quentin entrevit un espoir.

— Voilà bien les effets des sorbonagres et sorbonicoles de l'ignorante Sorbonne qui ne veut pas entendre parler du monde nouveau en train de naître et poursuit de sa haine les hommes qui apportent leurs lumières. C'est bien ce que je dénonce dans mon *Gargantua*. Je devrais vous l'offrir, pour que vous le remettiez en grande pompe à ces sombres crétins.

Quentin sursauta.

— *Gargantua* ! Seriez-vous cet Alcofribas Nasier[4], auteur de *Gargantua* et de *Pantagruel* ?

— En chair et en os, mangeant et buvant sec, à la réputation de bon vivant et de joyeux compagnon, pour vous servir, messire.

Quentin n'en revenait pas. Ce médecin fantaisiste était un auteur célèbre ! Écrivant sous un pseudonyme !

---

1. Médecin arabo-andalou du XIIe siècle.
2. Médecin grec du Ve siècle avant J.-C.
3. Médecin grec du IIe siècle.
4. Pseudonyme sous lequel Rabelais a publié ses deux premiers livres.

— Savez-vous que j'ai vu le roi rire de bon cœur quand l'évêque de Mâcon lui lisait *Pantagruel* [1]?

— Voilà qui me réjouit. Je suis en bonne compagnie! Le roi, dites-vous…

— Il ne s'agit que de quelques jours, plaida Quentin. Il écoutera vos avis éclairés. Il vous tient en haute estime.

Rabelais se grattouilla la barbe, pinça les lèvres.

— C'est assez tentant. Rabattre le caquet de ces médecins qui sentent le clystère comme de vieux diables, cela me plairait assez. Mes vérolés peuvent se passer de moi quelque temps. Et je ne crains pas le combat. Au pire, il suffit de savoir fuir au bon moment, se mettre à l'écart en attendant que passe l'orage.

Quentin était aux anges. Ce diable d'homme était bien capable de convaincre François que Sébastien avait été accusé trop hâtivement et qu'une enquête approfondie devait être menée.

— Voilà ce que je vous propose, reprit Rabelais : nous déterrons le cadavre du Dauphin, nous procédons à une nouvelle visitation du corps, et je donne mes conclusions.

Horrifié, Quentin avala de travers la gorgée de vin qu'il venait de prendre et la recracha. Cet homme était fou! Le corps du Dauphin avait été embaumé puis placé dans un cercueil en chêne, lui-même enfermé dans un cercueil en plomb; et son cœur, enveloppé dans une étoffe pourpre et déposé dans une cassette de bois enclose dans une urne de pierre

---

1. Publié en 1532.

sculptée. Il reposait dorénavant dans la chapelle des morts du chœur de la collégiale Saint-Julien de Tournon.

Rabelais le regarda d'un air sardonique et lui tapa dans le dos, avant de lui dire en riant :

— Je plaisante, mon ami, je plaisante ! Quoique… Nous n'avons que trop rarement l'occasion d'ouvrir un corps, et j'adore me livrer à ce genre d'exercices. Trouvez-vous une auberge, passez une bonne nuit et rendez-vous ici demain matin.

## 13

Faisant le pied de grue devant la taverne des Trois Cornets, Quentin appréciait la fraîcheur de l'aube. Rabelais était en retard. Sans doute avait-il abusé du vin de Condrieu, qu'il semblait particulièrement affectionner. Après qu'ils eurent quitté le médecin, Mathieu avait conduit Quentin dans une auberge confortable. Certes, il aurait pu demander l'hospitalité aux Gadagne, mais il n'avait pas envie de s'étendre sur les raisons de sa venue. Encore moins de loger à l'abbaye d'Ainay, où la famille royale pleurait la mort du Dauphin. Il avait pris congé de Mathieu, qui l'avait couvert de remerciements et de bénédictions pour sa lettre de recommandation.

Les cheveux en bataille, le visage quelque peu chiffonné, le pourpoint ouvert, Rabelais apparut enfin au coin de la rue Mercière.

— La nuit portant conseil, commença-t-il après avoir salué Quentin, je crois que je vais rester à Lyon. J'ai comme l'impression que, si je vous suis, il va m'arriver des bricoles.

Devant l'air désappointé de Quentin, il éclata de rire.

— Décidément, on ne peut pas plaisanter avec vous. Je viens ! Quoique j'aie un étrange pressentiment. Où sont les chevaux ?

— À l'auberge du Renard, près de la porte Saint-Just. Ne perdons pas de temps, allons-y.

Ils virent alors arriver le barbier-chirurgien, essoufflé, s'empêtrant dans sa grande robe noire.

— Puis-je me joindre à vous ? demanda-t-il d'un ton implorant. Maître Rabelais, vous aurez besoin d'un chirurgien.

— Et nos malades de l'hôpital Saint-Laurent ?

— Je me suis fait remplacer par Louis Desportes. Il me devait un service.

Rabelais se tourna vers Quentin.

— Voyez-vous un inconvénient à ce que ce jeune homme vienne avec nous ? Antoine Griot est très sérieux. Un peu trop à mon goût, d'ailleurs. Que voulez-vous, il a été élevé parmi les Vaudois, et leurs enseignements laissent des traces ! C'est un cœur pur. Il ne boit pas, ne danse pas, ne court pas les filles, mais il est très courageux et n'hésite pas à braver les risques de contagion.

Quentin n'avait jamais rencontré d'adepte de la secte vaudoise, mais il les savait d'une morale très rigoriste. Depuis quelques années, ils avaient fait allégeance à la religion de Luther et étaient considérés comme des «mal sentant de la foi» et, à ce titre, pourchassés. Voyant son hésitation, Rabelais précisa :

— Antoine a quitté sa famille il y a belle lurette. Ne craignez pas quelque contamination réformée qui ne serait pas du goût du roi.

Quentin donna son accord. Il savait aussi que les médecins n'étaient pas censés toucher les malades et que les soins, les opérations étaient effectués par les barbiers-chirurgiens. Cependant, en l'occurrence, il n'y avait hélas plus de malade à soigner.

La distance entre Lyon et Valence n'était que de trente-cinq lieues[1]; avec leurs chevaux vigoureux, ils auraient facilement pu les parcourir en moins de deux jours, comme l'avait fait Quentin à l'aller, mais le sieur Rabelais entendait prendre son temps. Il arguait de son âge pour prolonger les haltes dans les auberges où il tenait à faire honneur aux vins blancs, clairets, vermeils et noirs. Par chance, il négligea les petits vignobles de Sainte-Foy-lès-Lyon et de Saint-Genis-Laval, qu'il jugeait de piètre qualité. Tout se gâta à partir de Vienne. Humant l'air comme l'aurait fait un chien de chasse, il oublia son soi-disant grand âge pour piquer des deux, entraînant ses compagnons sur la route d'Ampuis. Les coteaux plantés de vigne ne tardèrent pas à apparaître.

— La Côte-Rôtie! s'émerveilla-t-il. Un endroit selon mon cœur! Pas de la vulgaire piquette. Du grand, du seigneurial, que dis-je, du royal! Amis, allons nous rincer le gosier.

Quentin comprit alors que l'épreuve serait rude. Les auberges étaient accueillantes et, dans celle où ils atterrirent, le patron vit immédiatement qu'il avait affaire à un sérieux client. Les premières chopines[2]

---

1. Une lieue = 3,2 kilomètres.
2. Une chopine = 0,62 litre.

furent vidées en un éclair, suivies de quelques pintes[1].
Hilare, rubicond, Rabelais regardait ses deux compagnons qui ne partageaient pas son allégresse.

— Quelles faces de carême! Allez, toussez un bon
coup, buvez-en trois et secouez joyeusement vos
oreilles! Eschyle buvait en composant, composait
en buvant. Homère jamais n'écrivit à jeun. Caton
n'écrivit jamais qu'après avoir bu. En buvant, je déli-
bère, je discours, je résous et conclus. Si le Dauphin
avait bu du vin, peut-être ne serait-il pas mort.

Quentin faillit le planter là. Que pouvait-il espé-
rer d'un ivrogne, fût-il médecin savant et grand écrivain? Lui faire rencontrer le roi était pure folie. Il se
couvrirait de ridicule en produisant cet énergumène
tout juste bon à lamper les fonds de pichets.

— Je vois à votre œil noir, continua Rabelais, que
vous me croyez saoul comme une grive. Vous avez
raison, mais en sec jamais l'âme n'habite. *In vino
veritas*, mon cher du Mesnil. Je n'oublie pas que
vous comptez sur moi pour qu'éclate la vérité.

Le ton du médecin s'était raffermi.

— Vous dites que Montecuculli a été accusé
d'avoir mis du poison dans l'eau qu'il a offerte au
Dauphin, continua-t-il.

— C'est exact.

— Était-elle glacée?

— Comment le savez-vous?

— Simple déduction. Votre ami est échanson et
italien. Boire à la glace est très à la mode en Italie,
j'en ai donc conclu que ce jeune homme a voulu

---

1. Une pinte = 1,25 litre.

faire plaisir à son maître. Et le Dauphin était en nage…

— Il venait de disputer une partie acharnée de paume.

— Ses abrutis de médecins n'ont pas pensé que cela pourrait être la cause de son décès? Champier sait très bien que les boissons glacées sont mauvaises pour la gorge, la poitrine, le poumon, l'estomac, les intestins. Elles sont la cause de difficultés respiratoires, de crises d'asthme, de coliques douloureuses, et il peut s'ensuivre de longues et opiniâtres maladies, et même la mort.

Pour avoir assisté à des discussions houleuses sur ce sujet controversé, Quentin savait que certains médecins étaient farouchement contre l'ajout de glace dans les boissons, mais il ne lui était pas venu à l'idée que cela avait pu provoquer la mort du Dauphin. Rabelais avait certainement raison.

— Voilà ce qu'il faut dire au roi! s'enthousiasma-t-il. Champier ne pourra que vous appuyer.

— Tout doux, mon beau! Retiens tes chevaux! Ce n'est qu'une éventualité. Je dis seulement que le vin aurait mieux convenu. Retenez cela : ne buvez que du meilleur. Buvez du solide. Pline invite à distinguer les vins imbéciles des vins valides… Gardez-vous des pisses d'âne! Mais, plus que tout, gardez-vous de l'eau : de tous les fluides, c'est le plus virulent. Et les membres de la congrégation du Saint-Siège savent bien ce qu'ils font quand ils versent par un entonnoir de l'eau dans les tripes hérétiques.

Cette volte-face replongea Quentin dans un morne découragement. Rabelais manquait décidément de retenue. Ses propos sentaient le fagot. Le temps où François I$^{er}$ tolérait avec une certaine bienveillance les partisans de Luther était bien révolu. Comme s'il lisait dans ses pensées, le médecin ajouta :

— Ne t'inquiète pas, l'ami ! Je sais me tenir ! Je n'irai pas dire devant le roi qu'il faut retourner aux sources du christianisme, refuser les superstitions, les salmigondis de la tradition, tous ces rogatons qui n'ont fait que déformer et altérer les enseignements de l'Église, même si je pense qu'au fond il est d'accord. Et toi aussi !

Ne souhaitant pas que la discussion s'éternise, Quentin ne répondit pas. Il tenta de lever le camp. Il était tôt, et ils pouvaient encore parcourir cinq ou six lieues. Rabelais refusa tout net. Il avait besoin de se reposer avant d'attaquer, le lendemain, la route qui les mènerait à Condrieu.

— Mais c'est à une lieue à peine ! protesta Quentin.

— Justement ! Nous partirons tôt pour profiter pleinement de leur délicieux nectar.

Il en fut ainsi. Passant du rouge au blanc, Rabelais fit preuve d'une constance admirable dans ses dégustations. Cette fois, de son propre aveu, il était rond comme un tonneau. Quentin eut un moment d'inquiétude quand il l'entendit beugler :

— Verse-m'en sans eau ! Calotte-moi ce verre proprement ! Je ne bois qu'à mes heures, comme la mule du pape. Une coupe féconde a toujours aux mortels donné grande faconde. Je bois pour les soifs de demain. Je bois éternellement. Je mouille, j'humecte, je bois, tout ça de peur de mourir. Buvez toujours, vous ne mourrez jamais. Si je ne bois pas, je suis à sec et me voilà mort. C'est bien chié-chanté, buvons ! Mets-en-nous rasibus.

Antoine Griot le rassura. S'il buvait comme une éponge, Rabelais n'en ressentait aucun mal. Il avait le vin heureux, en quelque sorte. Ses beuveries n'altéraient en rien ses capacités. Il en ressortait toujours frais et guilleret. Quentin en accepta l'augure.

Depuis le début du voyage, il s'interrogeait sur cet étrange barbier-chirurgien. Au contraire de Rabelais, qu'il considérait comme son maître, il ne buvait pas, mangeait très peu et ne parlait guère, ne quittant pas ses gants et restant engoncé dans sa longue robe noire malgré la chaleur. Quel curieux attelage que ce grand escogriffe austère et le pétaradant énergumène ! Antoine Griot lui vouait une admiration sans bornes et approuvait tout ce qu'il disait. Rabelais se moquait souvent de son manque de gaieté et de sa pruderie, mais toujours avec indulgence. Griot ne s'animait que quand Rabelais parlait maladie et médecine. À un des nombreux moments où Rabelais cuvait son vin, Quentin avait réussi à faire parler le barbier-chirurgien de son enfance parmi les Vaudois. Il était né à Apt, où ses parents s'étaient installés à l'appel des seigneurs du Luberon ravagé par les pestes et le brigandage. La main-d'œuvre manquait, et plusieurs milliers de Vaudois avaient quitté leurs vallées du Dauphiné ou du Piémont pour reconstruire les bastides et les terrasses plantées de blé et d'oliviers. Griot reconnaissait qu'ils affichaient un catholicisme de façade, se pliant aux rites mais recevant chez eux l'enseignement vaudois prodigué par

des pasteurs itinérants qu'ils nommaient «barbes».
Quand Quentin lui demanda pourquoi il avait quitté
sa famille, Antoine répondit de manière laconique :
«J'étais fiancé et je n'ai pas pu l'épouser.» Son visage
exprimait une telle souffrance que Quentin n'eut pas
le cœur de l'interroger plus avant. Il s'habitua cependant à cette présence silencieuse. Au moins Griot ne
provoquerait-il pas de scandale !

Après une journée et une nuit passées à Condrieu,
Rabelais accepta de presser un peu l'allure. Mais,
très vite, il déclara qu'après tous ces délicieux breu-
vages il avait intérêt à se rembourrer l'estomac s'il ne
voulait pas tomber malade. Pour preuve il cita Mar-
sile Ficin[1], disant que seul le repas embrasse toutes
les parties de l'homme car il restaure les membres,
renouvelle les humeurs, ranime les esprits, recrée les
sens, soutient et avive la raison.

Dédaignant les auberges, dont il trouvait la nourriture trop grossière, le bon docteur parcourut les mar-
chés, passant d'étal en étal, goûtant aux fromages,
aux charcuteries. Il avait une tendresse particulière
pour les andouilles et les saucisses. Et Dieu sait si elles
étaient abondantes en cette région bénie ! Grattons
et saucissons de montagne avaient aussi ses faveurs.
Tout comme les petits fromages, caillés, macérés dans
du vin blanc, les chevretons descendus du Forez, la
fourme de Montbrison, les rogerets du Vivarais…
Les petits fromages de chèvre de Saint-Marcellin lui
tirèrent des larmes de bonheur, et il en acheta plusieurs dizaines qu'il grignotait en selle.

---

1. Philosophe italien, 1433-1499.

Quentin avait renoncé à le presser, car aussitôt il disait qu'il fallait profiter des dons de la nature, vivre joyeusement et, surtout, ne pas se mettre la rate au court-bouillon.

À Tournon, Quentin proposa d'aller se recueillir sur le tombeau du Dauphin. Rabelais haussa les épaules en disant :

— Il est mort et bien mort. Cela ne nous apprendra rien. Passons plutôt sur l'autre rive, où les vins du coteau Saint-Christophe[1] ont belle réputation.

Il fut fait selon son souhait. Chopines et pintes se succédèrent à nouveau. Cette fois, Quentin l'accompagna dans ses libations. Le voyage touchait à sa fin. Le roi serait furieux qu'il soit parti si longtemps, et sa confiance en la capacité du Dr Rabelais à le convaincre que la mort du Dauphin pouvait être due à des causes naturelles était presque réduite à néant. Par amitié pour Sébastien et Chiara, Quentin irait jusqu'au bout, il boirait la coupe jusqu'à la lie. En attendant, autant se prendre une margot ! Ce qu'il fit consciencieusement sous le regard impavide d'Antoine Griot, toujours aussi sobre.

Le lendemain, les cinq lieues qu'il leur restait à parcourir furent un calvaire pour Quentin. La tête comme une coucourde, la bouche sèche, l'estomac retourné, il eut le plus grand mal à se mettre en selle, alors que Rabelais, frais comme un gardon, se moquait de lui. Quand ce dernier voulut retraverser le Rhône pour taquiner la dive bouteille à Cornas,

---

1. L'Hermitage.

Quentin piqua une telle colère que, pour une fois, il eut gain de cause. Ils arrivèrent à Valence en fin d'après-midi.

Une foule s'était massée au pied de l'évêché, levant le poing et criant : «À mort l'Italien!» La fièvre vengeresse ne s'était donc pas calmée. Il fallait agir vite. Quentin et ses deux compagnons, tenant leurs chevaux par la bride, se frayèrent un chemin jusqu'aux abords du bâtiment. Des bribes de conversation clouèrent Quentin sur place. Il avait dû mal entendre… Il s'adressa à une virago, le bonnet de travers sur ses cheveux filasse, qui s'époumonait plus que les autres.

— Il a avoué son crime! claironna-t-elle. L'Italien a avoué! C'était notre bon roi qu'il voulait tuer, mais il a commencé par son fils aîné. Qu'on le brûle en place publique!

Pétrifié, Quentin entendit à peine Rabelais lui dire :

— J'ai bien peur que votre ami ne soit irrémédiablement perdu. Ma mission se termine avant d'avoir commencé.

## 14

Torturé au fer rouge, Montecuculli avait donné le nom de ses complices : Antoine de Leyve et Ferrante de Gonzague, des proches de l'empereur qui l'avaient fait venir auprès de ce dernier. Charles Quint l'avait questionné sur les us et coutumes à la table de François dans le but de l'empoisonner. Il avait aussi accusé le duc de Mantoue de lui avoir fait de belles promesses d'honneurs et d'argent.

Quentin était effondré.

Ils s'étaient éloignés de l'évêché et avaient attaché leurs chevaux à des arbres surplombant la descente vers le Rhône.

— Ce ne sont que des aveux obtenus sous la torture, soupira-t-il.

— Sur lesquels on ne peut revenir, hélas. Et le supplice de la roue remis en vigueur il y a deux ans n'augure rien de bon pour ce pauvre homme.

— Taisez-vous !

Malheureusement, Quentin savait que, dorénavant, tout effort pour innocenter Sébastien se révélerait vain.

Leur attention fut attirée par les cris de deux hommes qui gravissaient avec peine le talus menant à l'évêché.

— Un médecin, vite, un médecin! criait l'un d'eux, portant un enfant inanimé.

Rabelais, Griot et Quentin se précipitèrent. Le garçon d'une dizaine d'années, à moitié nu, présentait sur tout le corps des cloques et des zébrures d'une mauvaise couleur brune. Quentin reconnut immédiatement le petit Pierre de Ronsard, page du défunt Dauphin. Un attroupement se fit autour de l'enfant. Un cri fusa :

— Il a été empoisonné! C'est certain. Regardez, c'est l'œuvre du diable.

— Écartez-vous! s'écria Rabelais d'un ton autoritaire. Laissez-moi l'examiner. Antoine, dénude-le complètement. Apportez-moi une bassine d'eau et un linge.

Quelques instants plus tard, il essuyait délicatement le visage de l'enfant dont les yeux papillonnèrent. Il reprenait connaissance.

— Petit, dis-moi, as-tu bu de l'eau malsaine?

Avec effort, Pierre de Ronsard secoua négativement la tête. Dans la foule qui s'était faite plus nombreuse, une femme hurla :

— Les puits sont empoisonnés, nous allons tous mourir.

— Taisez-vous, cornegidouille! As-tu vomi? continua Rabelais. As-tu mangé quelque chose qui t'a fait mal?

De nouveau, l'enfant fit signe que non. Rabelais le releva et l'adossa précautionneusement contre un arbre.

— Où es-tu allé? Qu'as-tu fait, ces dernières heures?

L'enfant baissa la tête et ne répondit pas.

— L'Italien a des complices. Il veut notre mort. Il agit sur ordre de Charles Quint, reprit la femme surexcitée. Demandez à cet enfant qui il a rencontré.

Rabelais haussa les épaules et la repoussa alors qu'elle voulait s'approcher du petit Pierre.

— Ne serais-tu pas descendu au bord du Rhône? lui demanda-t-il gentiment.

L'enfant secoua la tête. Rabelais se pencha vers lui et lui dit tout bas à l'oreille :

— Tu avais trop chaud, tu t'es baigné dans le fleuve... mais comme ton père te l'a interdit, tu ne veux pas le dire? C'est ça?

Pierre hocha la tête.

— Tu t'es allongé dans l'herbe alors que tu étais mouillé. Tu t'es endormi.

— Oui..., répondit le petit dans un souffle.

Rabelais se releva et s'adressa à Louis de Ronsard, qui venait d'arriver auprès de son fils.

— Il n'y a aucune inquiétude à avoir. Des applications de millepertuis pendant quelques jours, et il n'y paraîtra plus. Votre fils a fait une réaction[1], certes violente, à des herbes urticantes qui poussent dans les lieux humides.

L'enfant fut emmené pour être soigné. Très ému, Louis de Ronsard remercia le médecin d'avoir si promptement pris soin de son fils. La petite foule se dispersa, murmurant ses craintes d'un

---

1. Dermite des prés.

empoisonnement massif. La femme qui avait lancé l'alarme regarda Rabelais avec hargne puis s'éloigna, entourée de commères caquetantes. Elle s'immobilisa soudain et, désignant une jeune fille qui s'approchait à pas pressés, s'écria :

— C'est elle! La sœur de l'assassin! Qu'elle n'approche pas! Elle aussi est maudite!

Les femmes s'écartèrent devant Chiara. L'une d'elles se pencha pour ramasser une pierre qu'elle lui lança, l'atteignant à la tempe. Chiara chancela. Avant que Quentin puisse intervenir, Antoine Griot s'était précipité pour la protéger de nouveaux projectiles. Pendant que ce dernier étanchait le sang de sa blessure avec le linge qui avait servi à nettoyer le petit Pierre, Quentin et Rabelais firent déguerpir les harpies.

— Hors de mon soleil, capuchaille du diable, puisse le chancre vous faucher les jambes! tonna Rabelais.

Terrorisées, elles prirent leurs jambes à leur cou et disparurent.

Antoine Griot avait fait asseoir Chiara et, avec délicatesse, essuyait ses larmes. Quand il demanda à Quentin où il pourrait trouver de quoi donner à boire à la blessée, ses yeux brillaient d'une lueur nouvelle et ses gestes témoignaient d'une vivacité dont il avait été jusqu'alors dépourvu. Chiara l'avait subjugué. Le vilain crapaud touché par la baguette magique de l'amour allait-il se transformer en beau prince? Quentin lui indiqua le chemin des cuisines. Il ne lui fallut que quelques minutes pour revenir avec un gobelet de vin clairet qu'il approcha des lèvres de Chiara. Elle le remercia, et le visage d'Antoine Griot s'éclaira d'un grand sourire. La première fois que Quentin le voyait sourire !

— Valence est une terre bénie pour les médecins, déclara Rabelais. À peine sommes-nous arrivés que nous avons deux sauvetages à notre actif. Les affaires se portent bien ! À qui le tour ?

Chiara ne goûta pas le ton désinvolte du médecin et fondit de nouveau en larmes. Antoine Griot lança un regard de reproche à son maître, ce qui était, là aussi, une grande première.

— Chiara, vous n'auriez pas dû rester à Valence, l'admonesta gentiment Quentin. Je vous avais dit de retourner à Lyon auprès de Catherine, l'épouse du Dauphin. Vous y seriez en sécurité, alors qu'ici tout peut arriver, vous le voyez bien.

La jeune fille regarda avec tristesse sa robe mouchetée de gouttelettes de sang et se passa une main hésitante dans les cheveux.

— Je ne peux pas abandonner Sébastien à son horrible sort. Ses aveux lui ont été extorqués sous la torture. Si vous l'aviez vu hier… couvert de sang… ne pouvant plus marcher… un œil aveugle… la langue boursouflée… C'était horrible. Je ne peux le supporter.

Antoine Griot lui prit une main et la serra entre les siennes. Lui qui refusait tout contact avec ses semblables… la métamorphose était radicale ! Chiara le laissa lui tenir la main. Mais son regard était tourné vers Quentin, qui se troubla à l'évocation de son ami. Elle espérait de lui aide et secours, mais, à moins d'un miracle, plus rien ne sauverait Sébastien.

— Vous irez voir le roi, n'est-ce pas ? implora-t-elle d'une toute petite voix. Vous allez le convaincre ? Vous avez trouvé ce médecin qui pourra dire qu'il n'y avait pas de poison ?

— Hélas, demoiselle, je suis ce médecin, mais je crains fort de ne pouvoir faire grand-chose pour votre frère.

Chiara éclata en sanglots. Le reproche dans les yeux d'Antoine Griot se mua en colère.

— Il le faut ! s'insurgea-t-il. Nous ne pouvons laisser accuser un innocent.

— Cette réaction est tout à ton honneur, Antoine, mais regarde la réalité en face. Notre savoir est bien faible au regard de la volonté du roi. Nous n'avons plus rien à faire ici. Nous rentrons à Lyon.

Griot esquissa un geste d'impatience et déclara :

— Je reste !

— Hors de question !

Chiara fixait toujours Quentin d'un air éperdu.

— Rentrez à Lyon avec le Dr Rabelais. Vous êtes en danger ici.

— Hors de question ! Je reste !

— Têtes de mules, ne put s'empêcher de murmurer Rabelais dans sa barbe.

Ils parlementaient encore quand surgit Jean Berthommet, un valet de chambre du roi venu les avertir que son maître souhaitait voir le médecin miraculeux.

Le millepertuis était si efficace que les pustules séchaient à vue d'œil. On criait au prodige. Aussitôt, la rumeur qu'un médecin venu de Lyon avec un antidote contre les poisons de l'Italien courut dans Valence... mais aussi que des cadavres pestiférés avaient été abandonnés dans les sources par des espions à la solde de Charles Quint. On raconta que, comme au matin de l'agonie du Dauphin, on avait vu trois soleils, ce qui annonçait la mort du roi et du nouveau Dauphin. Le petit peuple grondait. Averti, le roi avait ordonné que des soldats soient postés dans les rues pour éviter tout débordement et qu'on lui amène le médecin sur-le-champ.

— C'est un grand honneur, déclara Rabelais, songeur, mais quelque chose me dit que cette reconnaissance royale va me coûter cher.

Chiara, toujours en pleurs, et Antoine Griot, toujours en colère, furent priés de ne pas bouger jusqu'à leur retour.

## 15

Le roi était d'excellente humeur. Un émissaire d'Anne de Montmorency venait tout juste d'arriver et exposait les difficultés rencontrées par Charles Quint. La politique de la terre brûlée portait ses fruits. L'empereur avait certes fait une entrée triomphale dans Aix, mais il allait de déconvenue en déconvenue. Anne de Montmorency ayant visité la ville en juillet et constaté qu'elle nécessiterait des mois de fortification, il avait été décidé de l'abandonner, ouverte, vide et inutile. L'empereur ne devait rien y trouver qui puisse l'aider. On avait rasé les portes et toutes les défenses. Fou de rage et désireux de montrer sa détermination, Charles Quint avait cassé tous les tribunaux, le viguier et les consuls, remplacé le parlement, qui s'était retiré à Mont-Dragon, par un sénat, abrogé les anciennes lois pour en créer de nouvelles, érigé des duchés, des principautés, des marquisats. Lors d'une messe solennelle en l'église Saint-Sauveur, célébrée par l'évêque de Nice, il s'était fait couronner comte de Provence et roi d'Arles. Mais tout cela n'était que pantomime, car les convois de ravitaillement cheminant entre la côte et le camp impérial étaient pillés par les Français. Les soldats partis à la recherche de vivres dans les campagnes environnantes ne trouvaient rien et, en prime, se faisaient attaquer par les paysans descendus des montagnes. Le choix qui s'offrait à Charles se réduisait à mourir de faim à Aix ou à se faire tailler en pièces. Comme l'avait prévu Montmorency, obligés, pour apaiser leur faim, de se nourrir de figues, raisins et autres fruits, les soldats tombaient malades. Alors qu'au camp d'Avignon, approvisionné par des bateaux descendant le Rhône, on ne manquait de rien.

Quentin et Rabelais avaient été priés de rester à l'écart. Assis sur un banc près d'une fenêtre d'où l'on apercevait le fleuve en contrebas, ils évoquaient le comportement d'Antoine Griot.

— Ce pauvre garçon a eu le choc de sa vie en voyant la jeune Italienne…

— J'ai l'impression qu'il en est tombé éperdument amoureux, approuva Quentin.

— Moi qui ne lui connais aucune bonne amie, je m'en réjouis. Car si tu n'exerces pas continuellement ta mentule[1], elle n'aura plus de lait et ne te servira que de pissotière, les couilles également ne te serviront que de gibecière. Je l'ai constaté dans le cas de plusieurs hommes qui n'ont pu le faire quand ils le voulaient, car ils ne l'avaient pas fait quand ils le pouvaient. Il faut conserver ce bas et menu peuple troglodyte en état d'être perpétuellement au travail et faire le nécessaire pour qu'ils ne vivent pas en gentilshommes de leurs rentes, sans rien faire.

---

1. Verge.

Malgré le moment peu propice à la gaieté, Quentin éclata de rire. Même si leur collaboration devait s'arrêter là, il ne regretterait pas d'avoir fait la connaissance du sieur Rabelais.

L'émissaire de Montmorency reparti, le roi leur fit signe d'approcher.

— Maître Rabelais ! s'exclama-t-il en prenant le médecin dans ses bras en une forte et longue accolade. Bien souvent, j'ai pensé vous faire quérir. Vos écrits me réjouissent l'âme, et je sais par mon ami Jean du Bellay que vous êtes un fidèle et loyal compagnon.

Rabelais se racla la gorge.

— Mes livres ne sont pleins que de folâtreries et menteries joyeuses, Sire. Je me réjouis s'ils ont eu l'heur de vous plaire.

— Certains clament que vous n'avez ni la crainte de Dieu ni le respect des hommes, que vous foulez aux pieds et tournez en ridicule toutes les choses divines et humaines. On vous reproche d'être un faiseur de bons mots qui attaque les honnêtes gens et les pieuses études dont vous vous gaussez sans vergogne. On vous dit imposteur et blasphémateur.

Rabelais blêmit.

— Il n'y a aucune hérésie dans mes livres, et, s'il y en avait, j'amasserais moi-même le bois sec et allumerais le feu pour m'y brûler.

— Excellent ! Je n'en attendais pas moins de vous.

François partit d'un grand rire et se tourna vers Quentin, qui s'attendait à une sérieuse algarade pour son retard.

— Je te remercie d'avoir mis sur mon chemin l'honorable Dr Rabelais. En ces temps si troublés, nous avons besoin de personnages tels que lui… Ils nous apportent un peu de gaieté.

Rabelais avait retrouvé toute son assurance.

— Sire, je crois que plus les épreuves sont grandes, plus le rire est nécessaire à l'homme, n'en déplaise aux bigots dont les lèvres sont aussi serrées que leur trou du cul.

— C'est bien ainsi que je vous imaginais, se réjouit François. Vous savez le malheur qui me frappe et les dangers qui nous guettent. Votre philosophie, si insolente soit-elle, m'intéresse.

Se sentant encouragé, Rabelais poursuivit :

— Il vaut mieux traiter du rire que des larmes, car le rire est le propre de l'homme. Exorcisons par le rire toutes ses vilénies, ses sottises, sa folie. Écartons par le rire pestes, famines, bûchers, violences, pillages. Le rire libère de la peur. Ripostons par le rire. Le rire permet de repousser la tristesse et le pessimisme. La joie éloigne de la vanité de l'agitation humaine, elle est le bien le plus précieux de l'homme. La gaieté d'esprit accompagne la vertu.

Le roi écoutait avec attention.

— Vous parlez juste. Mais, en tant que médecin, comment pouvez-vous marier souffrance et joie ? C'est impossible !

— Détrompez-vous ! Si nous nous efforçons de guérir le malade, nous devons aussi lui apporter un réconfort moral, et le rire est un excellent remède. Le médecin doit être le premier à faire preuve de gaieté et ne pas présenter une face de carême. La mine du médecin chagrin, sombre, rébarbatif, austère, déplaisant, jamais content, sévère, rechigné, attriste le malade, alors qu'un visage joyeux, serein, gracieux, ouvert, plaisant, le réjouit, c'est prouvé. La mine joyeuse du médecin présage une issue heureuse, et une mine sinistre une issue sinistre. Les entretiens que le médecin a avec les malades doivent tendre à un but : les réjouir sans offenser Dieu et ne les attrister en aucune façon. C'est ce que je m'efforce de faire pour ceux que je soigne.

— Enfin un médecin à mon goût ! s'exclama le roi. Je regrette que les circonstances de notre rencontre soient si calamiteuses, mais je veux y voir un signe bénéfique du destin. Mon cher Rabelais, je vous prie donc de rester à mes côtés. Vous avez fait merveille avec le petit Pierre de Ronsard. Vous veillerez à ce qu'aucun autre empoisonnement ne se produise.

— Sire, Pierre de Ronsard n'a pas été empoisonné, protesta Quentin.

— Je l'ai bien compris mais, aussi folle qu'elle soit, la rumeur d'une épidémie d'empoisonnements n'est peut-être pas dénuée de fondement.

— Sire, grommela Rabelais, les épidémies d'empoisonnement n'existent pas !

Le visage de François s'était fermé. Il regarda le médecin avec froideur.

— Peut-être, mais on ne saurait jamais être assez prudent. Avec ce diable de Charles Quint à nos portes, on peut s'attendre à tout. N'êtes-vous pas d'accord ? Car, si j'en crois votre *Gargantua*, vous ne le portez pas dans votre cœur. N'est-ce pas lui que, dans vos romans, vous déguisez en Picrochole ?

— Vous avez bien lu entre les lignes. Ce bon vieux Picrochole n'est autre que Charles Quint, au tempérament où domine la bile amère, ce qui en fait un violent, un irascible, un fourbe, et explique son désir de conquête et son manque de générosité.

— Voilà qui est parfait! l'interrompit François. Je vous confie notre sauvegarde. Soyez vigilant. Je vous donne tout pouvoir, ainsi qu'à Quentin du Mesnil, pour surveiller l'approvisionnement en vivres et la préparation des repas.

— Sire, protesta de nouveau Rabelais, vous êtes entouré d'excellents médecins qui ont toutes les compétences pour vous protéger d'actions maléfiques. Et je ne voudrais pas qu'ils croient…

— Que vous voulez prendre leur place… Ne vous inquiétez pas, je les informerai personnellement de ma décision.

— Sire, j'ai des malades qui m'attendent à Lyon…

— Ils attendront! Je vous garde auprès de moi. Nous aurons ainsi l'occasion de deviser gaiement de vos prochains écrits.

Le roi tourna les talons et regagna son cabinet de travail où l'attendait le cardinal de Lorraine.

— Je savais que jamais je n'aurais dû vous suivre, fulmina Rabelais. Me voilà coincé! Ma carrière à Lyon est définitivement ruinée. Pour la deuxième fois, je quitte l'hôpital sans prévenir. Tout ça pour surveiller des cuisines…

## 16

— Corne de licorne… Je l'ai… Le pape l'avait offerte à François à l'occasion du mariage d'Henri et de Catherine de Médicis… On la dit souveraine contre tout type de poisons…

Quentin farfouillait sur les étagères de la petite pièce à côté des cuisines de l'évêché, où était entreposée la vaisselle destinée au service du roi. Rabelais le regardait faire d'un œil goguenard.

— Ah! La licorne, ce merveilleux *monoceros* né aux Indes, en Éthiopie ou je ne sais où, censé purifier l'eau des mares et des fontaines! Ni Hippocrate, ni Aristote, ni Galien n'en parlent dans leurs traités.

— Pourtant, on dit qu'elle a le pouvoir de rendre le poison effervescent s'il est de nature chaude, ou fumant s'il est de nature froide, ce qui alerte immédiatement le mangeur, répliqua Quentin.

— Billevesées.

Quentin extirpa avec précaution un étrange objet d'orfèvrerie ressemblant à un arbre miniature d'où pendaient de minuscules fragments qu'on aurait pu croire de bois sec.

— Ah! fit mine de s'extasier Rabelais. Voilà un languier fait de langues de serpent qui, à coup sûr, détecte les poisons.

— Que trouvez-vous encore à redire? Oui, on pose le languier à côté d'une coupelle de sel et, s'il suinte, on sait qu'on se trouve en présence d'un danger.

Rabelais s'empara de l'objet et le fit tournoyer.

— Vous êtes fou! gronda Quentin, en essayant de récupérer le languier. Cet objet a une grande valeur!

— Dans une minute, vous allez me dire que la topaze et l'émeraude changent de couleur en présence de venin et que, pulvérisées sur les mets, elles vont empêcher le futur empoisonné de déglutir… ce qui lui sauvera la vie.

Exaspéré, Quentin tournait autour du médecin qui, enfin, reposa le précieux objet à sa place.

— Vous avez mieux à proposer? demanda-t-il d'une voix rogue. Le roi nous a confié une mission.

— Vous êtes le premier à dire qu'il n'y a pas eu empoisonnement. Pourquoi vous acharnez-vous sur ces vieilleries qui n'ont d'autre rôle que d'amasser la poussière? Il y a mieux à faire : allons nous promener, courir la gueuse, boire un coup…

— Il me faut montrer au roi que toutes les précautions sont prises…

Rabelais le prit par le bras.

— Couillon, mon ami, tu es encore plus couillon que je ne le pensais. Contente-toi de faire ce que font les maîtres d'hôtel : tu goûtes en cuisine, tu vérifies le sel, les serviettes, les sauces, les fruits, les tranchoirs. Tu goûtes une seconde fois et tu gardes l'œil sur les plats. Ou alors, prends un chien! Il fera le travail à ta place.

Vexé de s'entendre rappeler les principes de base de sa charge, Quentin se dégagea brutalement.

— Ne fais pas ta mauvaise tête. Il ne se passera rien!

» *Le mauvais temps passe, et revient le bon*
» *Pendant qu'on trinque autour de gras jambons.*
» À propos, quand est-ce qu'on mange?

Dire que les médecins du roi furent contents du rôle attribué à Rabelais serait exagéré. Tous fulminèrent et ne tardèrent pas à l'affubler du surnom de Dr Gâte-Sauce. Rabelais ne s'en offusqua pas et déclara qu'il accomplirait sa tâche en se remplissant la bedaine. Il ajouta qu'il fallait bien mourir de quelque chose et cita le poète Anacréon, qui mourut en s'étranglant avec un pépin de raisin; le préteur romain Fabius, qui trépassa étouffé par un poil de chèvre en buvant une écuelle de lait; celui qui fut victime du respect humain : pour avoir retenu un vent et s'être empêché de péter un méchant coup, il rendit l'âme subitement; Spurius Saufeius, mort en gobant un œuf mollet à la sortie du bain; et le peintre Zeuxis, qui mourut à force de rire en considérant la tête que faisait en peinture une vieille femme dont il avait fait le portrait.

Pendant que Rabelais se promenait dans les cuisines, soulevant les couvercles, plongeant un doigt dans les sauces, les doctes personnages faisaient venir à grands frais de la *thériaque*, ce contrepoison prisé par Néron. La meilleure était sans nul doute celle de Montpellier, mais bien vite les apothicaires de cette ville se retrouvèrent à sec. Des bataillons de cueilleurs, mais aussi de voleurs, furent chargés de mettre la main sur les différents ingrédients : gentiane, poivre, myrrhe, acacia, rose, iris, rue, valériane, millepertuis, fenouil, anis… Comme la chair de vipère était un des éléments essentiels, des battues furent organisées dans les garrigues languedociennes, et plus d'un pauvre bougre mourut d'avoir été mordu. Quant aux rognons de castors, ils manquèrent cruellement. Certains apothicaires indélicats n'hésitèrent pas à les remplacer par ceux de vulgaires boucs, quand ce n'était pas de chiens et de chats. Arrivant par fûts entiers, la thériaque fut entreposée dans une des caves de l'évêché gardée par des hommes en armes. Le petit peuple ne tarda pas à l'apprendre et réclama sa part. Le prévôt de Valence promit que, en cas d'épidémie, il y aurait des distributions publiques, tout en sachant qu'il n'en serait rien.

Le seul médecin à faire bon accueil à Rabelais fut Jean Champier, qui partageait ses opinions. Dans la querelle qui opposait les tenants des savoirs grecs et ceux des savoirs arabes, il se rangeait du côté des premiers. Son travail sur l'histoire des aliments lui valut d'être associé à Quentin et à Rabelais dans la supervision des repas. Ce fut un enfer ! Autant Rabelais approuvait invariablement ce que proposait Quentin, autant Champier y trouvait toujours à redire. Comme l'avait fait remarquer Rabelais, ils savaient tous qu'il n'y avait pas eu empoisonnement : alors, pourquoi se donner tant de mal pour s'en prémunir ?

D'autant que le roi et ses compagnons chipotaient, ne prenant plus aucun plaisir à se retrouver à table. Pour réveiller ces appétits éteints par la peur, Quentin se creusa la tête et décida de leur concocter des plats imaginés par Bartolomeo Scappi, cet Italien dont il avait chanté les louanges avec Sébastien. Il fit appel à sa mémoire gustative et réussit à se souvenir de quelques mets. Certes, il ne trouverait à Valence ni thon, ni dorades, ni sardines, ni calamars d'une fraîcheur suffisante, mais il y avait sur le marché des truites pêchées dans les ruisseaux des montagnes environnantes. Il était trop tard pour les asperges et trop tôt pour les courges, mais les fèves et les blettes venaient en abondance et, dans le jardin de l'évêché, il avait vu des artichauts et des fenouils, ces nouveaux légumes à la mode. Les pigeons et les canards ne posaient aucun problème. Pas plus que les poules et poulets.

Il s'en ouvrit à Rabelais, qui trouva l'idée excellente. Si l'entourage du roi ne mangeait pas, lui avait un solide appétit et ne demandait qu'à goûter à cette cuisine qu'il avait tant aimée lors de ses séjours en Italie.

— Servirez-vous quelques salades ? demanda-t-il, la mine gourmande. Lors de mon dernier passage à Rome, j'ai récupéré des graines de nouvelles variétés pour les faire cultiver en France. Avec un peu d'huile et de vinaigre, cela rafraîchit l'estomac et aiguise l'appétit.

— Salades, salades ? intervint Champier, collé aux basques de Quentin. Avec modération, comme il se doit. Il est connu que ceux qui en abusent s'exposent à de graves maladies. Et, comme Galien le conseille, vous mélangerez la laitue et la roquette pour tempérer la fraîcheur de l'une par l'ardeur de l'autre.

Quentin acquiesça, pour une fois que Champier n'opposait pas son veto!

— N'oubliez pas que la roquette est réputée aphrodisiaque. Si elle est recommandée pour les maris paresseux en amour, ne la servez pas aux prêtres, aux franciscains et aux bénédictins…

Le sourire narquois qu'il adressa à Rabelais fit éclater de rire ce dernier.

— Et alors? Oui, j'ai été novice chez les franciscains au couvent de la Baumette à Angers, puis j'ai rejoint les bénédictins à Fontenay-le-Comte où je suis devenu prêtre en 1520.

— Vous êtes prêtre! s'exclama Quentin, ébahi.

— À vrai dire, sept ans plus tard, j'ai quitté l'état monacal sans en demander l'autorisation. J'avais trop envie de courir les routes, et, surtout, de découvrir les universités. J'ai ainsi fréquenté celles d'Orléans, Bourges, Poitiers, Agen, Bordeaux, Toulouse et Montpellier. Je suis un moine en rupture de vœu, mais je n'ai jamais abandonné l'état ecclésiastique. Tu peux me servir autant de roquette que tu veux, j'ai déjà trois enfants. Et si Dieu me prête vie, je compte bien ne pas m'arrêter là.

— Un chaud lapin, notre Dr Rabelais!

— Et béni par le pape, ne t'en déplaise, mon cher Champier. En début d'année, mes suppliques au pape ont fait leur effet. J'ai obtenu gain de cause. Je suis absous du crime d'apostasie. Je peux continuer à exercer la médecine, à condition que je ne fasse pas usage de bistouri ni de cautère. Mais là n'est pas le sujet. À part les salades, qu'allons-nous manger ?

Qu'un prêtre ait des enfants n'étonnait pas Quentin. La plupart vivaient en concubinage, entourés d'une abondante marmaille. Mais que Rabelais fût moine le laissait pantois. Quoique suprêmement agaçant, ce diable d'homme n'avait pas fini de l'étonner.

— J'ai pensé à des truites braisées dans du vin blanc, vinaigre, gingembre, cannelle, muscade, girofle…

— Parfait pour les grandes chaleurs, l'interrompit Champier.

Décidément, pensa Quentin, c'est mon jour de chance !

— Nous aurons des fonds d'artichauts farcis à la viande de veau mélangée à du lard, du fromage frais, du persil, de la menthe, de la sauge, du thym ; des tourtes aux blettes ; de la crème de fenouil ; des fèves au safran…

— Le fenouil est excellent pour l'acuité visuelle et la bonne haleine. Mais les fèves… vous voulez nous empuantir ! Elles sont une source prodigieuse de vents et peuvent nuire aux facultés intellectuelles.

— Un bon vieux pet n'a jamais fait de mal à personne, énonça Rabelais d'un ton docte. Au contraire, ça dégage le cerveau. Mon bon Champier, vous devriez péter plus souvent. Quoi d'autre, Quentin ?

— Des pigeons à la sauge, du canard braisé aux pruneaux, de la *minestra de ricotta*…

Champier prit un air soupçonneux pour demander ce qu'était cette *minestra*.

— Un irrésistible délice! Du fromage frais que l'on fait chauffer doucement avec beaucoup de beurre et de sucre.

— Nous verrons! Je n'ai rien à dire sur les pigeons, continua-t-il, mais j'émets une objection quant aux canards. Leur chair est dure, de mauvais suc, de digestion pénible et excrémentielle comme presque tous les oiseaux aquatiques... mais l'adjonction de pruneaux fera disparaître ces défauts. Et le Dauphin adore le canard, alors donnons-lui du canard. Vous avez ma bénédiction.

— Alléluia! s'écria Rabelais. Vite! Aux cuisines!

## 17

Il avait été arrêté que non seulement le choix des mets devait être visé par au moins deux médecins, mais aussi que leur préparation devait faire l'objet d'un strict contrôle. Les cuisines de l'évêché, situées au rez-de-chaussée de l'aile droite, étaient vastes, garnies de deux immenses cheminées et dotées de sombres recoins où des malfaisants pouvaient se dissimuler. Comme il y régnait habituellement un grand désordre, pas moins de six médecins furent affectés à leur surveillance. Le maître queux, Robert Robertet, avait eu beau protester que ces scrutateurs gênaient le travail, le dispositif avait été maintenu. Sauciers, marmitons, garçons de cuisine, rôtisseurs et pâtissiers n'en pouvaient plus de cette engeance en robe noire penchée sur eux, posant mille questions auxquelles ils ne savaient que répondre. Pourquoi du gingembre ? Pourquoi de la menthe ? N'y avait-il pas trop de poivre ? Ne pourrait-on rajouter un peu de sucre ? Parfois, les médecins se disputaient entre eux, l'un alléguant que, selon Galien, le concombre devrait être exclu de l'alimentation humaine, l'autre que Pline le considérait comme un aliment très sain et que l'empereur Tibère ne passait pas un jour sans en manger. Ahuris, les cuisiniers les regardaient gesticuler et se poursuivre un concombre à la main. Sans surveillance, les sauces tournaient, les viandes brûlaient. Robert Robertet hurlait. Et on se remettait au travail jusqu'à la querelle suivante.

Comme il se doit, Rabelais se tenait prudemment à l'écart malgré les exhortations de ses collègues à prendre parti. Sa seule contribution aux débats eut lieu un jour où le Dr Desmet lui demandait s'il ne trouvait pas l'oseille trop astringente.

— Avec l'oseille, répondit-il, vous faites une belle sauce verte, légère à digérer, facile à assimiler, qui vous ébaudit le cerveau, égaie les esprits animaux, réjouit la vue, ouvre l'appétit, flatte le goût, donne du cœur au ventre, chatouille la langue, éclaircit le teint, fortifie les muscles, tempère le sang, allège le diaphragme, rafraîchit le foie, décharge la rate, soulage les rognons, calme les reins, dégourdit les vertèbres, vide les uretères, dilate les vases spermatiques, purge la vessie, gonfle les génitoires, redresse le prépuce, encroûte le gland, raidit le membre, vous donne bon ventre, vous fait bien roter, fienter, uriner, éternuer, sangloter, tousser, cracher, vomir, bâiller, moucher, souffler, inspirer, respirer, ronfler, suer, dresser le virolet, et mille autres rares avantages…

De ce jour, plus jamais on ne lui demanda son avis, et on le laissait folâtrer entre les marmites. Les cuisiniers l'avaient adopté comme un des leurs et ne rechignaient pas à lui laisser goûter leurs préparations. Il soignait coupures et brûlures, et il devint le médecin attitré des gens de cuisine qui n'en revenaient pas de l'attention que leur portait un médecin du roi.

La tension monta d'un cran quand on trouva dans les affaires de Sébastien de Montecuculli le livre de Dioscoride[1] sur les poisons, annoté de sa main. Cette nouvelle preuve attestait de la préméditation de son crime. Quentin soupçonna les hommes du Prévôt de l'avoir fort opportunément glissé dans ses bagages. Ce ne serait pas la première fois ni la dernière qu'un tel procédé était utilisé. Le savoir en prison aurait dû calmer les inquiétudes, mais la rumeur d'un complot ourdi par Charles Quint reprit de plus belle. Pourtant, on savait par des espions que l'empereur, horrifié par ces accusations, avait déclaré : «Je n'ai jamais pensé à une action si noire, si abominable. J'eusse mieux aimé perdre tout ce que j'ai d'honneurs, de grandeurs et de richesses que de ternir et souiller ma réputation de la moindre pensée si indigne d'un prince, de sa naissance et de sa qualité.»
Acculé, coincé à Aix avec des centaines de soldats atteints de dysenterie, toujours en attente des vivres de Doria, il n'aurait eu, selon les adeptes de la théorie du complot, d'autre solution que d'exterminer le roi de France et ses héritiers. Quentin n'y croyait pas un instant. L'empereur n'avait rien à gagner à agir ainsi. Et si l'on pouvait lui reprocher bien des choses, le crime de poison était trop vil pour qu'il s'y abaisse. D'autant qu'il n'y avait pas eu empoisonnement !

---

1. Médecin, botaniste et pharmacologue grec, vers 40-vers 90.

De nouvelles mesures de sécurité furent prises. Outre les médecins, Quentin se retrouva escorté d'hommes en armes pour négocier ses achats. Chaque jour, la petite troupe quittait l'évêché pour se rendre au marché. Au début, les bouchers, charcutiers, épiciers et vendeurs de légumes leur firent bon accueil, persuadés que leurs ventes allaient grimper en flèche avec tout ce beau monde, puis ils déchantèrent. Les soldats interdisaient à leurs clients habituels d'accéder à l'étal, les médecins tripotaient les marchandises sans vergogne, et il n'était pas rare que l'un d'entre eux s'empare d'un gigot ou d'un chapelet de saucisses qu'il cachait dans les plis de sa longue robe. Si le marchand avait le malheur de lui réclamer son dû, il répondait que c'était pour le service du roi. Les discutailleries sur le choix des produits n'en finissaient pas, et la charrette qui les suivait se remplissait avec une lenteur exaspérante.

Les médecins vilipendaient les lentilles qui engendrent de la bile noire, des sucs épais et mauvais, ainsi que des maladies opiniâtres comme le chancre et la peste ; de surcroît, ils estimaient que cette légumineuse n'était pas destinée aux tables des riches. Ils trouvaient le chou détestable et fétide mais admettaient qu'il s'améliorait si on le faisait cuire avec des os à moelle ou des perdrix.

L'oseille, encore elle, qui donne de la saveur aux plats et accroît l'appétit, surtout pendant les chaleurs de l'été, ne recueillait que des avis favorables : Quentin en faisait charger des brassées. Bien ennuyé, il se creusait la tête pour lui trouver des accommodements variés sans s'attirer les foudres de ses cerbères.

Il proposa d'en faire des sauces pour accompagner du veau ou du chevreau. Il savait que le veau était une viande appréciée des médecins, Champier lui ayant confié qu'Averroès le donnait à ses malades en toute sécurité. Quant au chevreau, il était compté parmi les viandes excellentes et particulièrement saines, à condition qu'il n'ait pas encore brouté de l'herbe. Tout comme les agneaux. Si ce n'est qu'à cette période de l'année, il serait impossible d'en trouver encore à la mamelle. En revanche, il fallait se garder de la chèvre, animal puant, luxurieux et sujet à l'épilepsie. Sa viande, réputée donner des renvois et provoquer le choléra, était encore plus néfaste que celle du bœuf pouvant, selon certains, produire de la bile noire, donc déconseillée aux mélancoliques et atrabilaires, provoquer l'éléphantiasis, la lèpre, la fièvre quarte, le gonflement de la rate. À ses côtés, Rabelais se désolait de voir s'éloigner la promesse de belles côtes de bœuf bien persillées, rôties et servies avec une sauce poivrade préparée avec du vin, un trait de vinaigre, du sel et du poivre.

Les lapins ne posaient aucun problème, surtout pour les personnes grosses et grasses qui avaient besoin d'un régime éclaircissant les humeurs. Mais rien ne valait poules et poulets, qui conviennent admirablement à toutes les natures et à tous les tempéraments.

Certains s'égarèrent à évoquer la viande d'âne, ce qui leur valut une réplique sans appel de Champier : «Ceux qui en mangent sont des ânes.» Mais, curieusement, il se lança dans un panégyrique du hérisson, délicieux en été quand il se nourrit de fruits. Il dressa ensuite la liste des animaux des bois qu'il avait pu déguster, ainsi le renardeau au goût prononcé de gibier ou l'ourson à la saveur très agréable qu'il avait mangé à Lyon chez son oncle Symphorin Champier. Il alla même jusqu'à évoquer les cigales, les mâles étant meilleurs avant l'accouplement et les femelles après.

Quentin s'arrachait les cheveux. Composer des repas dans de telles conditions devenait de plus en plus difficile. Des marchands lui firent savoir que, malgré tout le respect qu'ils devaient au souverain, ils ne pourraient continuer à fournir ses cuisines. Le coup de grâce fut donné quand, croyant bien faire, Antoine Griot proposa de dresser la liste de tous les poisons connus et de se pourvoir en contrepoisons. Il dirait plus tard qu'il voulait seulement parler des plus communs. Les médecins trouvèrent l'idée excellente et déversèrent sur Quentin une kyrielle de demandes toutes plus impossibles les unes que les autres.

En cas d'absorption de litharge[1], il devait avoir sous la main de la fiente de pigeon sauvage, du bouillon de tête et de pieds de mouton qui serait administré en clystère, et de quoi faire une soupe de grenouilles et de violettes. Par chance, pour un empoisonnement au vif-argent[2], les remèdes étaient les mêmes. Avec l'arsenic, ces deux poisons étaient les plus couramment utilisés : il était donc bien naturel de s'en préoccuper. En revanche, ceux qu'ils citèrent ensuite étaient plus qu'improbables.

---

1. Oxyde de plomb.
2. Mercure.

Ils exigèrent qu'il ait en réserve du lait d'ânesse, des racines de cyclamen, de la résine de cèdre et du sang d'oie au cas où un empoisonnement au lièvre marin aurait lieu, et qu'il puisse faire préparer pour les victimes des écrevisses au vin ou au pire de la chair de renarde rôtie... Rabelais se tenait les côtes de rire en expliquant à Quentin que personne n'avait jamais vu de lièvre marin. Cependant, il était de notoriété publique qu'il ressemblait à un calamar à tête de lièvre et n'avait qu'une vertu connue : broyé avec des orties, il servait à épiler la peau des vierges.

Quand il fut question du fiel de léopard, de celui du chien de mer et de la cervelle de chat, poisons mortifères qu'il fallait soigner avec du suc de raifort et des graines de coriandre, Rabelais ne put s'empêcher de les traiter de fieffés ignorants. Ne se laissant pas démonter, ils continuèrent à énumérer les dangereux poisons auxquels le roi pouvait être confronté. L'un d'eux émit l'idée que Charles Quint pourrait imaginer de lui faire manger de la salamandre qui, comme chacun le savait, était l'emblème de François I$^{er}$. Dans ce cas, il fallait absolument avoir des feuilles d'ortie cuites avec des lis, des œufs de tortue de mer ou de terre cuits avec la racine de chardon. Ils en profitèrent pour mettre Quentin en garde contre les araignées et les reptiles qui pouvaient tomber du toit dans les marmites, et lui rappelèrent de sonder l'intérieur des tonneaux pour que ces bêtes n'y meurent après avoir craché leur venin. Puis, gagnés par une sorte de frénésie, ils exigèrent de disposer de tables et d'instruments dans les cuisines pour être prêts à toute éventualité. Effarés, les cuisiniers supplièrent Quentin de ne pas accéder à leurs demandes. Ils imaginaient les cuisines envahies par les ingrédients les plus immondes. Passe encore pour le lait d'ânesse, mais de la cervelle de baleine… de l'urine de femme… des rognures d'ongles de pendu… Quentin convenait que c'était impossible. Les médecins ne furent finalement autorisés à utiliser qu'une table, placée dans un recoin, mais en aucun cas à faire circuler leurs abominables remèdes dans les cuisines.

Désolé du désordre qu'il avait provoqué, Antoine Griot proposa de garder un œil sur ces apprentis cuisiniers et de veiller à limiter leur zèle. Quentin accepta volontiers. Depuis sa rencontre avec Chiara, le barbier-chirurgien avait changé d'attitude. Il parlait davantage, et il lui arrivait de plus en plus fréquemment de sourire. Rabelais riait sous cape du miracle opéré par l'amour. Chiara, quant à elle, n'était pas vraiment ravie de l'intérêt que lui portait Griot. Elle le manifestait en se collant à Quentin, ce qui avait le don d'exaspérer ce dernier et de faire naître chez Griot un rictus de souffrance. Quentin la rabrouait gentiment. Elle recommençait.

Il s'inquiétait à son sujet. La jeune fille avait beaucoup maigri, et son regard disait son désarroi. Elle continuait à rendre visite à son frère, lui apportant la nourriture que lui confiait Quentin. Chaque fois, Sébastien la priait de ne pas revenir pour ne pas se mettre en danger. Il se disait perdu et n'avait aucun espoir de sortir vivant des prisons du roi.

## 18

Lors d'une sortie sur le marché survint un étrange événement. Rabelais tâtait le cul des poulets et racontait des grivoiseries à la jeune marchande, qui ne semblait pas lui en tenir rigueur. Elle avait appelé ses voisines revenderesses, fruitières, herbières, poissonnières, merluchères pour qu'elles profitent de ses propos. Un petit attroupement de gaillardes s'était formé, auquel s'était jointe une femme d'une trentaine d'années, aux cheveux d'un roux flamboyant et dont le vêtement n'avait rien de paysan. Elle tentait d'attirer l'attention de Quentin, aux prises avec le Dr Desmet, expliquant qu'un mélange de crapauds, araignées, couleuvres macérées dans du purin pouvait être salvateur, tout comme des entrailles d'enfant réduites en poudre ou de la bave d'un homme roux pendu par les pieds. Un des gardes s'approcha de Rabelais, lui demandant s'il souhaitait que la troupe disperse ces femelles jacassantes.

— Par la houppe de mon froc, laisse-nous parler des bienfaits de la nature !

Et, à la grande satisfaction de son auditoire, il continua :

— Je connais un peuple dont certains enflent du membre, de telle sorte qu'ils l'ont prodigieusement long, grand, gras, gros, vert et dressé en crête à l'antique, si bien qu'ils s'en servent de ceinture, s'en entourant le corps cinq ou six fois. Et s'il advenait qu'il fût en forme et eût le vent en poupe, à les voir, vous eussiez dit que ces gens tenaient leurs lances pour jouer à la quintaine. Et de cette race, on n'en trouve plus, n'est-ce pas, mesdames?

Il se tailla un franc succès, fut applaudi longuement. Elles en redemandèrent.

— D'autres se développent par les oreilles, lesquelles ils ont si grandes que d'une seule ils se font un pourpoint, des chausses et un sayon et que de l'autre ils se couvrent comme d'une cape espagnole. Vous ne le croyez pas? Moi non plus.

Ce fut du délire dans la foule. Même le Dr Desmet avait cessé de parler pour écouter le sieur Rabelais.

— Pfff... un bateleur! Un bonimenteur de foire! Une honte pour notre profession! grognait-il.

La jeune femme rousse en avait profité pour contourner l'étal et se rapprocher de Quentin. Ce dernier vit Antoine Griot faire un écart avant qu'un soldat ne la prenne par le bras en lui disant avec rudesse:

— N'approchez pas! Service du roi!

Elle se débattit. Le soldat maintint sa prise et l'entraîna alors qu'elle criait à l'intention de Quentin:

— Je dois vous parler...

Le reste de ses paroles se perdit dans les huées des femmes qui brandissaient le poing, déçues de cette interruption.

Quand Rabelais eut fini de se faire embrasser par ses admiratrices d'un jour, il revint vers ses compagnons.

— C'est bizarre ! Je crois connaître cette femme. À son accoutrement, on voit bien que c'est une prostituée. C'est à toi, Quentin, qu'elle en voulait. Tu sais qui c'est ? L'avons-nous rencontrée lors de notre périple le long du Rhône ? Aurais-tu fricoté avec elle ? À moins que ce ne soit moi... Il y a des moments dont je ne me souviens plus très bien...

Puis, se tournant vers Antoine Griot :

— Ça me revient ! Ne serait-elle pas une de nos malades de Lyon ?

— Je ne crois pas, répondit Griot.

— Pourtant, les rousses, ce n'est pas si fréquent. Es-tu sûr ?

— Je suis formel.

Rabelais ne semblait guère convaincu. Quentin n'avait prêté que peu d'attention à cet incident, soucieux de se débarrasser du Dr Desmet et pressé de retourner en cuisine pour mettre en route le repas «Scappi». Il craignait que ses efforts ne fussent inutiles tant la peur engendrée par la nourriture était grande. Seul Rabelais manifestait son entrain habituel et disait sa hâte à découvrir ces nouveaux mets. Il s'intéressa particulièrement à la *minestra de ricotta*, à tel point que le cuisinier dut appeler Robert Robertet afin que le médecin cesse de plonger ses doigts dans le fromage crémeux.

— Un délice de bébé, une réminiscence du sein maternel. Donnez-m'en encore ou je vous mords !

Il montra les dents et s'empara de la jatte pour aller s'installer près d'une fenêtre, puis la termina en gloussant de plaisir. Il ne leva pas la tête quand un long cri de douleur se fit entendre. Une lèchefrite venait de prendre feu. La graisse s'était répandue sur le bras d'un marmiton et son vêtement était en flammes. Les médecins présents se précipitèrent. L'un d'eux eut la bonne idée d'entraîner le garçon vers un cuveau plein d'eau et de l'y jeter tout habillé. Le gamin s'ébroua, toussa et ressortit en se tenant la main. La brûlure était grave. Antoine Griot, qui, le premier, s'était porté à son secours, l'emmena dans une resserre où il lui enduisit la main de cire d'abeille sur laquelle il posa une feuille de chou. L'incident était si banal que la plupart des cuisiniers n'avaient pas cessé de travailler, et aucun n'avait remarqué que des projections de graisse enflammée avaient atteint le gros tas de pommes de pin bien sèches destinées à ranimer les braises. Le feu couva quelques minutes, puis s'embrasa. Les pommes de pin explosèrent, propulsant des flammèches dans tous les sens.

— On nous attaque! s'écria un cuisinier. Fuyons!

Il se précipita vers la sortie, suivi de quelques autres.

— Bougres d'idiots! tonna Robert Robertet. Revenez ici et aidez-nous à éteindre le feu!

Un médecin se désolait du bas de sa robe roussi. Un autre piétinait son bonnet carré moucheté d'escarbilles rougeoyantes. Les cuisiniers avaient quitté leur poste pour donner la chasse aux pommes de pin. Muni d'un balai, Quentin inspectait le dessous d'une table quand Rabelais se pencha vers lui et chuchota :

— Il y a quelque chose qui ne va pas…

— À qui le dites-vous! Nous avons failli griller comme de vulgaires volailles!

— Non, non, je veux parler du canard. Pendant que tout le monde s'agitait, j'ai voulu goûter celui prévu pour la table du Dauphin. Son odeur m'a paru anormalement âcre et j'ai senti une légère brûlure aux lèvres.

— Sans doute le cuisinier y a-t-il mis trop de gingembre, répliqua Quentin, écrasant une braise sous son talon.

— Ce pourrait être de l'aconit…

Quentin se figea.

— Dieu du Ciel! Vous êtes sûr?

— Par bonheur, j'ai aussitôt recraché. Je peux donc me tenir devant vous sans me tordre de douleur, la bave aux lèvres.

Quentin jeta un regard circulaire. Les braisières où cuisaient les canards étaient dans la cheminée de gauche. Il s'y précipita, suivi de Rabelais. Ce dernier lui montra du doigt le plat incriminé. Quentin s'en saisit malgré les protestations du cuisinier qui le surveillait et, toujours suivi de Rabelais, courut jusqu'à la cour. Il allait verser le contenu sur un tas de détritus de cuisine quand le médecin arrêta son geste.

— Il faut en avoir le cœur net.

— Et comment fait-on? Vous voulez que je vous en serve une portion?

Avisant un des nombreux chiens qui attendaient l'aubaine d'un os jeté à leur intention, Rabelais siffla, et l'un des cabots arriva, la queue frétillante.

— Oh, non! gémit Quentin.

— C'est vous ou moi ou lui. Qui préférez-vous ?

Il entraîna Quentin et le chien derrière un muret. La braisière fut posée à terre. Ne croyant pas à sa chance, l'animal y plongea le museau et dévora tout ce qu'il put.

— Nous serons vite fixés, annonça Rabelais.

Quentin regardait avec angoisse le chien qui, repu, s'était allongé la tête entre les pattes.

— Vous voyez, dit-il, il va très bien. Vous n'allez pas, vous aussi, croire à ces sottises d'empoisonnement.

— Attendez…

Le chien tenta de se remettre sur ses pattes et retomba. Il haletait, ses yeux étaient vagues. Il fut pris d'intenses tremblements, puis ses muscles se tétanisèrent. Quelques instants plus tard, il était mort.

Livide, Quentin se laissa glisser contre le muret.

— C'était donc vrai ! Et moi qui faisais le faraud ! Le Dauphin aurait pu mourir. J'ai failli à mon devoir. Je me sens terriblement coupable.

— Tu ferais mieux de réfléchir, plutôt que de rester là à pleurer comme une vache, assis sur tes couilles comme un babouin.

Lançant un regard au cadavre du chien, Quentin se releva.

— Il faut immédiatement prévenir le roi, déclara-t-il.

Rabelais leva les yeux au ciel.

— Que nenni, mon ami ! Je t'ai demandé de réfléchir, pas de bêler. Ton sens du devoir te perdra.

Quentin resta silencieux quelques minutes. Rabelais était perdu dans la contemplation du ciel.

— Si je le lui dis, il me destitue sur-le-champ. Et vous…

— Moi, je suis bon pour la censure *ad vitam aeternam*. Adieu, livres, romans, contes et historiettes !

— Donc, nous ne disons rien.

— Bien vu, joufflu.

— Et nous cherchons ensemble le coupable, continua Quentin en lui lançant un regard peu amène.

— Nos destins sont liés, j'en ai peur. Nous ne le cherchons pas, nous le trouvons.

— D'autant que nous savons qui c'est.

Rabelais le regarda d'un air perplexe.

— Ce ne peut être qu'un médecin ou un cuisinier, conclut Quentin.

# 19

François tournait comme un lion en cage. Rester à Valence sans rien faire le mettait au supplice. Certains de ses conseillers l'invitaient à prendre la tête des armées du Nord et à envoyer Henri au camp d'Avignon. Le jeune Dauphin piaffait d'impatience, ayant hâte d'en découdre afin de prouver sa vaillance à son père. Estimant avoir les choses en main, le lieutenant général des armées, Anne de Montmorency, ne souhaitait la présence ni de l'un ni de l'autre. Les espions rapportaient que l'état sanitaire du camp de l'empereur s'aggravait de jour en jour. Les malades se comptaient par milliers, et les escouades chargées du ravitaillement revenaient les mains vides ou taillées en pièces.

Une nouvelle rumeur se répandit, en provenance de l'entourage de Charles Quint, accusant Henri et sa femme Catherine de Médicis d'avoir causé la mort du Dauphin pour hâter leur arrivée sur le trône. L'accent était mis sur les habitudes florentines de se débarrasser des gêneurs en les empoisonnant. À sa naissance, un devin n'avait-il pas prédit que

Catherine serait la cause de bien des malheurs ? Le roi prit l'attaque à la plaisanterie. Il fallait vraiment que Charles Quint fût aux abois pour inventer de telles inepties.

En révélant la présence de poison dans le canard destiné au Dauphin, Quentin aurait pu apporter la preuve irréfutable de la fausseté de cette allégation. Il n'en fit rien. Lui-même ne comprenait pas bien ce qui le poussait à agir ainsi. Il aurait dû prévenir le roi aussitôt. Avouer seulement maintenant serait perçu comme un acte de trahison. La peur de voir le nom des Du Mesnil marqué d'infamie le paralysait. La faute aux astrologues, mages, devins dont les présages méphitiques avaient empoisonné sa vie d'adulte. On lui avait maintes fois prédit qu'il trahirait sa famille et le roi. Par bonheur, rien de tel n'était arrivé, mais il sentait peser sur lui une menace diffuse.

La surveillance accrue qu'ils avaient exercée en cuisine ces deux derniers jours, Rabelais et lui, n'avait révélé aucun fait probant. Les médecins étaient toujours aussi pinailleurs, les cuisiniers toujours aussi affairés. Quentin courait de l'un à l'autre, épiait le moindre geste suspect. À son habitude, Rabelais reniflait tous les plats mais n'y prélevait plus une bouchée. Vexés, les cuisiniers insistaient. Devant ce qu'ils prenaient pour du désintérêt, ils plongeaient une cuillère dans leur mixture et la goûtaient. Rabelais attendait quelques minutes en les scrutant avec attention et, si rien de fâcheux n'arrivait, il s'emparait de la cuillère et les remerciait chaleureusement de le laisser se servir. Ils savaient l'un et l'autre que leurs efforts étaient vains. L'assassin avait dû remarquer leur manège et, s'il passait de nouveau à l'acte, il se débrouillerait pour le faire à un moment échappant à leur vigilance. Par exemple, sur le trajet entre les cuisines et le lieu du repas. Quentin demanda donc que les porteurs de plats soient accompagnés d'hommes d'armes. Il y eut quelques cafouillages, les valets supportant mal que leur loyauté fût mise en doute. L'un d'eux renversa délibérément un potage fumant sur le plastron d'un des gardes, qui hurla comme un putois. Ses collègues ceinturèrent le valet, le jetèrent à terre dans la mare de soupe et le maintinrent jusqu'à l'arrivée de Quentin, affolé. Le pauvre garçon fut renvoyé sur-le-champ, ce qui passa l'envie aux autres de se livrer à de telles plaisanteries.

Quentin ne vivait plus, ne dormait plus. Ses rares moments de sommeil étaient traversés de cauchemars où il se voyait monter sur le bûcher avec Sébastien, et où le grand chien noir de Cornelius Agrippa venait déterrer ses os à moitié calcinés. Il se réveillait en sueur et se promettait d'aller voir le roi à la première heure. Il n'en faisait rien, et une nouvelle journée d'appréhension commençait.

Un matin, alors qu'il se rendait aux cuisines, un gamin accourut vers lui. Il eut du mal à reconnaître Mathieu, qui s'était remplumé et portait des vêtements de bonne qualité. L'enfant ôta son chapeau et le salua bien bas.

— Mathieu ! Que fais-tu là ? Te voilà vêtu comme un prince !

Haletant, le visage crispé, le gamin demanda précipitamment :

— Avez-vous vu la dame?

— Quelle dame?

— La rousse. Vous savez, la femme… de mauvaise vie.

Interloqué, Quentin eut quelque peine à se souvenir de l'incident du marché.

— Oui, je l'ai vue.

— Me voilà rassuré. Donc, vous savez tout.

Quentin fronça les sourcils.

— Je ne comprends rien à ton histoire. Que devrais-je savoir?

— Je ne sais pas, moi, répondit le gamin avec agacement. Elle m'a dit qu'elle avait des choses de première importance à vous dire.

Le petit était épuisé, sa voix tremblait.

— Tu vas me raconter tout ça calmement, devant une bonne écuelle de soupe.

Quentin entraîna le garçon dans les cuisines, demanda à un marmiton qu'on leur serve du bouillon et un morceau de pain. Il était très tôt, et seuls quelques cuisiniers vaquaient à leurs occupations. Des bûchiers apportaient du bois, des garçons de cuisine ranimaient la braise, d'autres balayaient le sol. Mathieu leur lançait des regards soupçonneux et, d'un signe, il fit comprendre à Quentin qu'il préférait lui parler dehors. Ils s'installèrent sous les arcades. Son récit était embrouillé et Quentin eut quelque difficulté à le comprendre. Il apparaissait que, le soir où ils avaient rencontré Rabelais, la femme rousse se trouvait aussi à la taverne des Trois Cornets. Elle l'avait ensuite cherché, lui, Mathieu, pendant plusieurs jours. Elle s'était renseignée auprès de l'Aumône générale et avait enfin découvert qu'il travaillait chez les Gadagne. Quand il évoqua son nouveau métier de garçon de courses, le gamin se confondit en remerciements et se perdit dans le récit de ses déplacements dans la ville pour porter des courriers ou des marchandises. Quentin le pressa de continuer. La femme rousse avait absolument voulu savoir qui était le personnage avec qui soupait Rabelais. Se méfiant, Mathieu s'était refusé à répondre. Après lui avoir fait mille cajoleries et, surtout, lui avoir dit que c'était une question de vie ou de mort et qu'elle devait absolument mettre en garde ledit personnage, il avait lâché le nom de Quentin et sa fonction à la cour. Semblant soulagée, elle l'avait remercié avec effusion. Comme elle lui annonçait qu'elle partait pour Valence, Mathieu avait alors ouvert le paquet qu'il était censé livrer aux Capponi, y avait chipé un ruban de soie vert prairie pour le remettre à la femme en lui demandant de le donner à Quentin. En acceptant, elle lui avait même dit que, à son retour, elle lui raconterait comment son cadeau avait été reçu.

Elle n'était pas revenue, et Mathieu s'était inquiété et reproché d'avoir divulgué le nom de Quentin. Cette femme paraissait sincère, mais peut-être était-il allé trop vite en besogne. Il n'aurait pas dû lui faire confiance. Craignant qu'elle ne veuille du mal à Quentin, l'idée lui était venue de faire, lui aussi, le voyage jusqu'à Valence. Tremblant de peur, il avait demandé à rencontrer Thomas Gadagne en personne, pour lui exposer ses doutes. L'ayant reçu avec bienveillance, le banquier lui avait accordé l'autorisation de s'absenter, car, de l'avis de tous, il faisait son travail avec célérité et ponctualité. Et voilà! Mathieu avait voyagé sans presque dormir et était bien aise de voir Quentin en parfaite santé et lui demandait pardon d'avoir été trop bavard.

— Tu n'as rien fait de grave, Mathieu, mais as-tu une idée de ce que cette femme entendait par «C'est une question de vie ou de mort»?

— Pas la moindre… Peut-être le Dr Rabelais en sait-il plus…

Quentin se souvint que le médecin avait eu l'impression de la connaître.

Qui et où était-elle? Qu'avait-elle de si important à lui dire? Après avoir emmené Mathieu dans la chambre qu'il occupait à l'évêché, où le gamin, exténué par son voyage, s'effondra sur le lit, il alla se renseigner auprès des services du Prévôt. Il apprit que la femme rousse, arrêtée sur le marché, n'avait pas cherché à dissimuler sa condition de prostituée, et que, à ce titre, elle avait été chassée de Valence avec ordre de ne pas y remettre les pieds sous peine d'emprisonnement. Avait-elle parlé d'une menace? Un des hommes se rappelait qu'en effet elle était très agitée et tenait des propos peu compréhensibles où il était question de vérole, de médecins coupables, mais qu'on n'y avait pas prêté attention. Un autre ajouta qu'elle avait tenté de revenir en ville et s'était enfuie alors qu'on allait l'arrêter.

Rabelais semblait la connaître. Était-elle une de ses malades? Antoine Griot avait affirmé qu'elle lui était inconnue. Pourquoi avait-elle cherché à s'adresser à lui, Quentin? Il n'avait rien à voir avec le corps médical et encore moins, Dieu merci, avec la vérole.

138

Il n'eut guère le temps de se poser plus de questions. De retour à l'évêché, on lui apprit que le roi voulait le voir de toute urgence. Une inquiétude bien plus profonde s'empara de lui. Cela signifiait-il que François avait eu connaissance de la tentative d'empoisonnement visant le Dauphin? Pourtant, seuls Rabelais et lui étaient au courant.

L'accueil affable de François le rassura. De toute évidence, il ne se doutait de rien.

— Quentin, je te suis reconnaissant de ta vigilance. Tout se passe à merveille en cuisine, semble-t-il. Tes efforts pour nous proposer de nouveaux mets sont appréciés de tous et nous font retrouver l'appétit. Malheureusement, je vais devoir me passer de tes services.

Le cœur de Quentin se glaça. Pourquoi le roi le félicitait-il pour ensuite lui annoncer qu'il était chassé?

— J'ai finalement, continua François, accédé au désir du Dauphin de rejoindre le camp d'Avignon. Je ne peux lui refuser plus avant de se former au métier des armes. Anne de Montmorency saura réfréner son ardeur, car il n'est pas question qu'il combatte. Tu vas l'accompagner pour continuer à veiller sur lui.

Immensément soulagé, Quentin n'en croyait pas ses oreilles.

— Je te vois perplexe, s'étonna le roi. Aurais-tu une objection?

— Pas le moins du monde, s'empressa de répondre Quentin.

— Bien entendu, le Dr Rabelais t'accompagne. Ses frasques me manqueront. Je vous confie ce que j'ai de plus cher au monde, le Dauphin.

— Mais ici, à Valence...

— Les cuisines sont parfaitement surveillées, nous en avons la preuve. Je ne me fais aucun souci pour moi et mon entourage.

Quentin frémit.

— Ne pourrions-nous faire en sorte que je reste à Valence et que le Dr Rabelais accompagne le Dauphin ? On ne saurait être trop prudent.

— Le coupable est sous les verrous. Mais s'il s'agit d'un complot, à tout moment un autre meurtrier peut se lever et attenter à la vie du Dauphin.

Quentin se sentit devenir livide. Seigneur ! Si le roi savait...

— C'est un ordre, Quentin ! Oublierais-tu que nous sommes en guerre ?

Il connaissait bien ce ton abrupt. Rien ne le ferait changer d'avis.

Il hésita. Il pouvait encore lui révéler ce qui s'était passé. Il pensa à Alicia et aux enfants, qui auraient à vivre avec la honte qu'il ait été chassé de la cour. Le roi avait promis que l'aîné, Pierre, pourrait être admis comme page quelques mois plus tard ; sa sœur Marie était appelée à devenir demoiselle d'honneur de Marguerite, la fille du roi, dès qu'elle en aurait l'âge. Leur déception serait immense, et leur avenir marqué par le déshonneur. Il tenta de se rassurer en se disant que si le Dauphin était bien la personne visée par l'empoisonneur, l'accompagner serait la meilleure manière de le protéger et de confondre le coupable. Il refusa de penser que François pût être la prochaine victime.

Avec gravité, Quentin salua le roi et l'assura qu'ils étaient prêts à partir sur-le-champ.

C'était compter sans la mauvaise volonté de Rabelais.

— Que le diable me souffle au cul! Je l'avais bien dit, jamais je n'aurais dû te suivre. Passe encore de devenir marmiton, mais tu ne me feras porter ni hallebarde ni arquebuse. Je hais la guerre.

— Ne soyez pas stupide, riposta Quentin. Nous n'allons pas au combat, nous veillons sur le Dauphin.

— Et si Charles Quint attaque? Tu te cacheras derrière tes casseroles? Tu accueilleras les lansquenets avec des tourtes et des fouaces? Et d'ailleurs, qu'y a-t-il à manger dans ce camp retranché? Des rats et des biscuits rances? Je n'y vais pas.

— Le roi prendra très mal votre désertion…

— Je sais qu'il me tient par les couilles, et je vais bien être obligé de te suivre. Débrouille-toi pour qu'au moins nous puissions manger à notre faim. Mes vendeuses de poulets vont me manquer. Je vais de ce pas leur conter quelque historiette de mon cru.

Quentin n'insista pas. Avant de partir, il devait aussi convaincre Chiara de retourner à Lyon. Il comprenait sa volonté de rester au plus près de son frère mais, en leur absence, elle ne serait pas en sécurité. Sébastien s'affaiblissait. C'était à peine s'il voulait lui parler quand elle lui rendait visite. Elle faisait l'objet d'attaques permanentes et ne sortait de la maison où elle logeait que pour se rendre à la prison, sous la garde vigilante d'Antoine Griot.

Elle refusa tout net. Il eut beau la traiter d'entêtée, rien n'y fit. Antoine Griot, qui se tenait à ses côtés, se proposa de rester pour assurer sa sécurité. La jeune fille se leva, en colère :

— Arrêtez de me suivre comme un chien fidèle. Je ne veux plus vous voir. Vous m'indisposez. Je n'aime pas vous savoir près de moi. J'en ai assez de votre air lugubre, de ces horribles gants noirs. Vous puez la mort !

Elle se tourna vers Quentin.

— Faites-lui comprendre, par pitié !

Livide, Antoine Griot fit un pas vers elle. Chiara recula. Il avait les larmes aux yeux. Il sortit sans un mot.

Quentin n'avait ni le temps ni l'envie de régler cette querelle. Il comprenait que Chiara n'ait aucune affinité avec ce pauvre Griot, mais il aurait volontiers accepté qu'il se charge de sa surveillance. Connaissant le caractère de la jeune fille, elle ne partirait pas. Il ne lui restait qu'une solution : la confier à Mathieu. Certes, ce n'était guère satisfaisant, mais le gamin était courageux et futé. Il accepta d'emblée et Chiara lui fit bon accueil.

— Au moins, dit-elle, je n'aurai plus à subir les regards énamourés de cet horrible Griot. Il me fait peur. J'ai l'impression d'être un fantôme quand il est à mes côtés.

Quentin leur recommanda la plus grande prudence et leur enjoignit de se mettre sous la protection du Dr Champier en cas de difficulté. Il rédigea un courrier à l'intention de Thomas Gadagne, pour l'avertir que Mathieu resterait sous sa responsabilité et qu'il retrouverait Lyon et son travail dès que le roi n'aurait plus besoin de lui. Quand il eut connaissance de la teneur du message, le gamin ne se tint plus de joie. Il était au service du roi ! Voilà qui ferait bisquer les autres coursiers quand il le leur raconterait. Prenant un air martial, il jura que le royaume de France pouvait compter sur lui. Si on osait toucher un seul cheveu de la demoiselle, il se battrait jusqu'à la mort. Quentin le crut.

Il lui restait à avertir Champier de son départ et à l'inciter à redoubler de vigilance. Le médecin ne cacha pas sa satisfaction à l'idée de devenir seul maître à bord des cuisines. Il pourrait ainsi imposer les stricts principes diététiques auxquels il tenait tant.

— Gardez-vous de ne nourrir le roi que d'oseille et de volaille, tint à dire Quentin.

— Ce que je proposerai n'aura peut-être pas les saveurs chatoyantes d'Italie, mais ce sera bonne et saine nourriture, répliqua le médecin, vexé.

Quentin insista sur la nécessité que les plats soient goûtés avant leur départ de la cuisine et juste avant d'être servis à la table royale. Le regard flamboyant de colère, le médecin lui rétorqua qu'il n'était pas nouveau dans le métier et qu'il était inutile de lui rappeler ce que tout médecin savait.

Quentin se garda bien de prévenir les cuisiniers qu'ils seraient sous la surveillance d'une dizaine de soldats supplémentaires, accompagnés de chiens.

## 20

Quentin, Rabelais et Antoine Griot chevauchaient en fin de cortège. Renfrogné depuis le départ, Rabelais se taisait, sirotant sa gourde qu'il avait pris soin de remplir d'un des meilleurs vins servis à la table du roi. Tassé sur sa selle, Griot faisait une tête de dix pieds de long. Il avait insisté auprès de Rabelais pour rester à Valence, mais ce dernier s'était montré intraitable. Quentin avait eu la mauvaise idée de lui rappeler que Chiara ne souhaitait pas l'avoir auprès de lui. Griot l'avait fusillé du regard. Agacé par son comportement et préoccupé par des problèmes autrement plus importants, Quentin lui avait asséné qu'une jeune fille noble ne pouvait s'intéresser à un homme comme lui et qu'il était ridicule de lui faire la cour. Griot ne lui avait plus adressé la parole.

Quentin se posait mille questions sur la manière d'agir dans un camp où séjournaient plus de soixante mille soldats. Au moins était-il sûr qu'aucun des médecins présents lors de la tentative d'empoisonnement n'avait fait le voyage d'Avignon. En revanche, il ne connaissait pas les cuisiniers au service d'Anne de Montmorency, qui ne verraient certainement pas d'un bon œil d'être espionnés en permanence. Rabelais ne semblait pas disposé à lui apporter son aide. Pour finir, il n'entrevoyait qu'une solution : il goûterait personnellement tous les plats destinés au Dauphin, quitte à y laisser la vie.

Accompagné de ses capitaines, Anne de Montmorency vint accueillir le Dauphin au pont de Sorgues. Ils chevauchèrent jusqu'au camp situé entre Rhône et Durance. Cette étrange rivière, qu'on pouvait parfois traverser à gué alors qu'en d'autres endroits elle se faisait impétueuse, laissant tant de gros cailloux que les chevaux avaient du mal à passer, servait alors de barrière naturelle protégeant de l'ennemi. Pour plus de précaution, un fossé de vingt-quatre pieds de large entourait le camp. Quand ils y pénétrèrent, Quentin fut encore plus inquiet. L'agitation qui y régnait, le va-et-vient permanent de cavaliers, les soldats en exercice lui montrèrent à quel point sa mission serait ardue. D'autant que le Dauphin, ravi de rejoindre l'armée, mettrait son nez partout, accepterait des verres de vin des capitaines, pis, partagerait à l'occasion leur repas. Quentin en eut des sueurs froides. Rabelais avait les yeux fixés sur les arquebusiers et les canons installés au centre et sur les flancs du camp, grommelant une fois de plus qu'il détestait la guerre.

— Les peuples, il faut les allaiter, les bercer, les amuser, et non piller, forcer, écraser, ruiner, tourmenter. Comme un arbre qu'on vient de planter, il faut les tuteurer, les affermir, les défendre contre les orages, agressions et calamités. Comme un patient sortant d'une longue et grave maladie et entrant en convalescence, il faut les choyer, les protéger, les fortifier. La guerre est un témoignage de barbarie qui ne devrait plus avoir cours dans les nations chrétiennes.

— Allez le dire au roi et à l'empereur! soupira Quentin.

Leur installation, sous une tente toute proche de celle d'Anne de Montmorency, sur une petite levée de terre au centre du camp d'où ils dominaient l'ensemble des quartiers, fut accompagnée des bruyants soupirs de Rabelais, se lamentant sur le sort injuste qui lui était fait. Quant à Griot, il se laissa choir sur sa paillasse et leur tourna le dos.

Les laissant à leur mauvaise humeur, Quentin partit en quête des cuisines. Si les soldats devaient se contenter des rations fournies par les munitionnaires des armées, Anne de Montmorency et ses capitaines avaient à leur service de véritables cuisiniers. Pour éviter tout risque d'incendie, les cuisines étaient établies à l'écart, très loin de la tente du lieutenant général où le Dauphin prendrait ses repas. Quoique sommaires, les installations permettaient de faire rôtir des viandes, de préparer tourtes et potages. Comme Quentin s'en doutait, l'accueil que lui firent les cuisiniers fut assez froid. Quand il demanda à voir les provisions qui dorénavant seraient gardées par des soldats, il eut droit à d'acerbes récriminations.

De retour à leur tente, Quentin trouva Griot toujours muré dans son silence, mais Rabelais de meilleure humeur. Il avait fait le tour du camp et le trouvait remarquablement organisé. Qu'il soit traversé en son milieu par un ruisseau emportant ordures et immondices était, selon lui, une excellente idée permettant d'éviter toutes sortes d'épidémies. Il n'avait pas manqué le quartier réservé aux prostituées. Les ayant observées de son œil exercé, elles lui avaient paru saines et exemptes de vérole. Surtout, il avait fraternisé avec les troupes. Pour garantir la paix interne, les différentes nations qui composaient l'armée étaient séparées les unes des autres. Et il avait ainsi pu goûter à quelques boissons allemandes, suisses... Il avait aussi rapporté de bonnes nouvelles. En moins de douze jours, Arles avait été mise en état de défense, les remparts réparés et de nouvelles fortifications construites. Quand de Guast, capitaine de Charles Quint, était arrivé aux abords de la ville par les marais de Montmajour, il s'était avancé jusque sous les murs de la ville. Il avait eu la surprise de trouver tous les habitants en armes. Les Arlésiennes s'étaient mises de la partie. Les dames d'Alen, de Castellane-Laval et des Porcelets s'étaient signalées par leur intrépidité. Non contentes de porter des matériaux aux fortifications, elles s'étaient armées de pied en cap. Les coups de canon tirés depuis la porte de Laure avaient eu raison de De Guast, qui s'était replié et avait ramené honteusement son armée à Aix. Rabelais déclara qu'il en ferait une histoire. On ne pouvait que rendre hommage à une dame nommée «des Porcelets». Peut-être avait-elle jeté des saucisses sur les assaillants, se demanda-t-il d'un air songeur.

Il avait recueilli une autre histoire de courage féminin qui accompagnerait bien les porcelets arlésiens, car l'héroïne se nommait Marie-Catherine de Poix. Cette fois, l'affaire se passait en Picardie, où l'armée du comte de Nassau, composée de soixante mille Allemands, Bourguignons et Flamands, était rassemblée du côté de la ville de Guise. Croyant qu'il vaincrait plus facilement Péronne, Nassau avait envoyé les Bourguignons en avant-garde, pour commencer à investir la place. Ils cernèrent la ville, pillant les alentours. Péronne, qui ne comptait que trois mille soldats, repoussa courageusement les nombreux assauts. Ce fut un des sièges les plus redoutables qu'ait connus une ville et qui préserva la France de l'invasion. Car une femme, Marie-Catherine de Poix, surnommée Marie Fouré, eut un comportement héroïque. Pendant un terrible assaut, Marie-Catherine vola comme un trait vers une partie des murailles abandonnées par les troupes, trop peu nombreuses. Elle aperçut un porte-enseigne ennemi prêt à planter son drapeau. Sous prétexte de l'aider, elle saisit son étendard et s'en servit pour lui briser la tête, puis le faire basculer dans les fossés. Le drapeau à la main, elle revint vers les habitants dont elle ranima le courage, et leur annonça la victoire, qui survint peu après.

Rabelais jubilait et réclamait à toute force de l'encre, une plume et du papier pour s'attaquer à son récit où une guerre opposerait andouilles et purée de poix.

— Il paraît que Marie-Catherine, n'ayant pratiquement plus de farine, en fit des gâteaux très durs qu'elle jeta dans les tranchées ennemies pour faire croire que l'abondance régnait encore. Mais je n'y crois pas ! Ce serait trop beau ! conclut-il.

Voyant son agitation et la lueur qui flambait dans ses yeux, Quentin comprit que le médecin laissait la place à l'écrivain et qu'il ne pourrait compter que sur lui-même pour mener à bien sa mission. Bien décidé à ne pas céder au découragement, il passa les heures suivantes au pied des marmites. On était loin des raffinements de la cour. On cuisinait comme au siècle précédent. De la viande presque exclusivement dans des sauces noires, des soupes épaisses, des fromentées…

Il veilla personnellement à la préparation du dîner du Dauphin et, comme il s'en était fait le serment, goûta à tous les plats que mangea Henri. À chaque bouchée, il remettait son âme entre les mains de Dieu et avalait en pensant à Alicia et aux enfants. Sitôt son office terminé, il s'esquiva, désireux de prendre un peu de repos.

Il se dirigeait vers sa tente quand il entendit quelqu'un courir en criant son nom. Il se retourna. Arborant un air triomphant, Mathieu se tenait devant lui. Décidément, ce gamin avait le don de surgir à l'improviste.

— Il est arrivé malheur à Chiara ? demanda Quentin.

— Je veille sur elle. Que croyez-vous donc ? répondit Mathieu d'un ton indigné. Et nous veillons sur vous. Nous sommes venus vous avertir d'un grave danger.

— Nous ?

— Chiara est avec moi. Elle vous attend en ville. Venez vite. Nous n'avons pas de temps à perdre.

Stupéfait, Quentin se laissa entraîner.

Pris en croupe, Mathieu ne voulut répondre à aucune question. «Chiara vous expliquera», répétait-il. Ils pénétrèrent dans Avignon par la porte Saint-Michel. Chiara les attendait à l'auberge du Cygne couronné. Ce qu'elle apprit à Quentin le consterna. Le roi avait été prévenu par un message anonyme qu'un plat de canard empoisonné à l'aconit avait failli être servi au Dauphin. Quentin était mis en cause. La dénonciation mentionnait que s'il n'en avait pas averti le roi, c'était bien parce qu'il participait au complot et avait bénéficié, comme Montecuculli, dont il était l'ami, des largesses de Charles Quint. Champier, indigné de cette accusation, avait averti Chiara. Certains ne se privaient pas de souligner que l'empressement de Quentin à quitter Avignon signait son crime. Lassé par les incessantes rumeurs, le roi se refusait à y croire. Mais pour combien de temps?

— Je ne suis pas coupable, protesta Quentin. Je m'en expliquerai.

— Mon frère n'est pas coupable, mais voyez quel est son sort. Il vous faut fuir.

— Jamais!

## 21

Qui avait écrit ce message? Seul Rabelais et lui étaient au courant pour le canard empoisonné. Et le chien… Une fois de plus, Quentin passa mentalement en revue médecins et cuisiniers sans parvenir à une conclusion probante. Il n'avait plus le choix. Il lui fallait retourner illico à Valence et plaider son innocence auprès du roi.

Il demanda à Chiara et à Mathieu de se tenir prêts à partir. Il retournait au camp chercher Rabelais et Griot et reviendrait ensuite. Au nom de Griot, Chiara se récria :

— Laissez-le où il est. C'est un malfaisant!

Quentin ne répondit pas, ayant plus grave à régler que ces enfantillages.

De retour au camp, il trouva Rabelais écrivant furieusement.

— Ah, te voilà enfin! s'écria celui-ci. Fais en sorte de me trouver une table digne de ce nom.

Il avait placé ses feuilles et son encrier sur une caisse de bois qui bougeait à chaque trait de plume.

— Désolé de vous interrompre! riposta Quentin. Nous rentrons à Valence.

— Va te faire voir par la fièvre quarte. Tu ne vois pas que j'écris?

Quentin lui exposa les derniers rebondissements. Rabelais fourragea dans sa barbe.

— Eh bien, rentre! Il n'est pas question de moi dans ce billet.

Outré par une telle déloyauté, Quentin lui arracha la plume des doigts.

— Vous venez avec moi! Vous témoignerez de ce qui s'est passé.

— Couillonneau du diable, tu peux toujours courir! Me jeter tout cru dans la gueule de notre bon roi? Alors que j'en suis arrivé au moment crucial de mon récit où un grand, gras, gros porcelet arrive en volant, avec des ailes longues et amples comme celles d'un moulin à vent, et déverse sur les deux armées plus de vingt-sept tonneaux de moutarde? Car, comme chacun sait, la moutarde est le baume céleste des andouilles. En en mettant un peu sur les plaies de celles gisant à terre, les blessées guérissaient en fort peu de temps, les mortes ressuscitaient.

— Dieu du ciel, lâchez vos andouilles, ou vous n'aurez plus guère l'occasion de tenir une plume! Comptez sur moi pour vous la faire avaler si vous ne venez pas.

Des hurlements, des appels à l'aide les interrompirent et les firent sortir. Un attroupement s'était formé auprès de la tente du Dauphin. Quentin sentit son cœur s'arrêter. Henri avait-il été attaqué? Un corps gisait à terre, entouré de soldats. L'un d'entre eux le retourna, et Quentin aperçut une chevelure rousse. Rabelais, qui l'avait vue aussi, se précipita, écartant les hommes en déclarant qu'il était médecin. C'était bien la femme du marché de Valence. Une large tache écarlate maculait le devant de sa robe. Rabelais délaça son corsage. D'une large blessure près du cœur sourdait une rigole de sang. La femme entrouvrit les yeux et lui serra faiblement le bras.

— Écoutez-moi, je vous en supplie. Je suis Mahaut la Ribaude. Vous m'avez soignée à Lyon.

— Je le savais bien ! s'exclama Rabelais. Ne parlez pas. Cela vous affaiblirait.

— Je vais mourir. Je dois parler.

Rabelais fit se disperser les soldats.

— Méfiez-vous d'Antoine Griot, commença-t-elle. Il vous ment. Il m'a menti en me disant que j'étais guérie. Ce n'est pas vrai. La vérole est revenue.

Penchée sur elle, Quentin eut un mouvement de recul. Une vérolée !

— Ça peut arriver, essaya de la rassurer Rabelais. Il ne faut pas en vouloir à Griot.

Elle le regarda avec des yeux où se lisaient souffrance et détresse.

— C'est lui qui m'a poignardée.

Ce fut au tour de Rabelais de sursauter.

— Griot ? Mais c'est le plus doux des hommes ! Le plus inoffensif.

Elle eut juste la force de secouer la tête.

— Il voulait que moi et les autres filles nous propagions la vérole. Et puis il a changé d'avis.

Il avait mieux à faire, a-t-il dit. Faire mourir le Dauphin.

Rabelais se tourna vers Quentin :

— Elle délire. La fin est proche.

Sa respiration se fit haletante, son visage se crispa et, dans un dernier souffle, elle parvint à dire :

— Lui aussi a la vérole.

Rabelais lui ferma les yeux en récitant une prière. Il fit signe aux soldats, restés en retrait, d'emporter le corps.

— Corbleu ! Voilà qui montre qu'à leur dernière extrémité, les vérolés sont pris de folie. Leur cerveau s'embrume, voire se liquéfie. Il serait bon de procéder à une visite du corps. Je vais en faire part à Montmorency.

Quentin le retint par le bras.

— Avez-vous parlé à Griot du canard empoisonné ? demanda-t-il à voix basse.

— Bien sûr ! Je lui ai décrit en détail l'agonie du chien. À titre d'expérience. Mais cela n'a rien à voir avec cette pauvre femme.

— En êtes-vous si sûr ?

Rabelais fronça les sourcils et regarda Quentin d'un air sévère.

— Tu ne vas tout de même pas croire aux propos d'une folle vérolée sur le point de mourir ? Les malades sont prêts à dire pis que pendre des médecins qui ne les guérissent pas.

— Où est Griot ?

— Je ne sais pas, il est parti peu de temps après que ce gamin fut venu te chercher.

— Vous ne l'avez pas revu depuis ?

154

— Nom d'une poule, tu le soupçonnes?

— Il faut le retrouver.

Quentin partit en courant vers leur tente, suivi d'un Rabelais bougon.

Le sac où Griot transportait ses maigres effets avait disparu.

— Il ne reviendra pas, affirma Quentin.

Rabelais s'assit sur sa paillasse.

— C'est impossible! Je l'aurais vu…

— Que vouliez-vous voir?

— S'il était atteint de la vérole, je l'aurais vu! Je suis médecin!

— Avez-vous pu l'observer sans sa longue robe noire et ses gants jusqu'aux coudes? Peut-être n'est-il que peu atteint.

Défait, Rabelais garda le silence.

— Il est trop tard pour se lamenter, déclara Quentin. Il nous faut le retrouver. C'est lui qui a écrit le message au roi pour me faire accuser et porter le chapeau de son crime. J'en suis sûr, maintenant. Et il ne va pas s'arrêter là.

— C'est ma faute, se désola Rabelais. J'ai été plus stupide qu'un têtard de grenouille.

Le laissant énumérer ses fautes, Quentin se dirigeait déjà vers l'entrée du camp. Malheureusement, personne n'avait remarqué un barbier-chirurgien à pied ou à cheval prenant la route d'Avignon. Par contre, il eut la mauvaise surprise de tomber sur un détachement de cavaliers portant les couleurs du roi, qui demandaient aux gardes où ils pourraient trouver Quentin du Mesnil et le Dr Rabelais, appartenant à la suite du Dauphin. Il prit ses jambes à son cou, retourna à la tente et secoua le médecin, toujours effondré.

— On nous cherche. Il faut partir. Nous n'avons que quelques minutes.

Rabelais dut voir de l'effroi dans son regard, car il obtempéra aussitôt, se contentant de prendre son sac et d'y fourrer les pages qu'il avait noircies.

En courant, ils zigzaguèrent entre les tentes, évitant les allées centrales. Reprenant une allure normale, ils franchirent la porte du camp en faisant un signe de la main aux gardes. Au petit trot, ils parcoururent quelques centaines de toises puis se cachèrent dans un bosquet de cannes de Provence. Le temps que les cavaliers s'aperçoivent de leur absence et, sur les indications des gardes, les cherchent sur la route. Un quart d'heure plus tard, ils les virent passer au pas, scrutant les alentours. Ils attendirent encore, puis continuèrent leur chemin en se frayant un passage dans l'entrelacs de cannes pour rester à couvert. Par chance, la nuit tombait et ils purent marcher sur la route, prêts au moindre bruit de sabots à replonger au bas du talus. Ils arrivèrent juste avant que les portes d'Avignon ne se ferment et profitèrent de la cohue des retardataires pour entrer en se glissant entre une charrette transportant du bois et un troupeau de moutons. Ils ne furent pas repérés. Après avoir pesté que des moutons avaient chié sur ses chaussures, Rabelais demanda à Quentin s'il n'aurait pas mieux valu éviter la ville. Il lui répondit que c'était le meilleur endroit pour se cacher et, surtout, il voulait informer Chiara et Mathieu des derniers événements.

Quand ils se présentèrent au patron du Cygne couronné, ce dernier les regarda d'un sale œil. La jeune personne qu'ils cherchaient avait causé bien des embarras quand un ami était venu l'emmener. Elle avait crié comme un cochon qu'on égorge et il avait dû prêter main-forte au monsieur très poli qui voulait l'emmener.

— Il portait des vêtements noirs de barbier-chirurgien ? s'enquit Quentin.

— Oui, il m'a dit que la pauvre petite souffrait d'un dérangement du cerveau et qu'il la ramenait dans sa famille.

— Et le jeune garçon qui l'accompagnait ?

— Ah, le petit effronté ! Il a dû prendre la poudre d'escampette. Il n'était pas avec elle.

Quentin demanda à voir la chambre. Le patron fit des manières. Rabelais le prit par le col, le traita de merdigue, de vit d'âne, de croquant de rase campagne, ce qui eut pour effet de le rendre plus conciliant.

Ils trouvèrent Mathieu, inanimé dans un coin de la chambre. Les nombreuses marques de coups sur son visage, les traces de sang sur ses vêtements laissaient présager le pire. Rabelais l'ausculta délicatement.

— Il est vivant.

Ils le déshabillèrent, lavèrent ses plaies. Au contact de l'eau, l'enfant reprit progressivement conscience. Quand il vit Quentin penché sur lui, il éclata en sanglots.

— Je n'ai rien pu faire. Je me suis battu autant que j'ai pu. Il était plus fort.

Quentin le prit dans ses bras comme il l'aurait fait avec son propre enfant, le berça en lui disant qu'il avait été très courageux, et qu'il était trop petit pour avoir eu le dessus.

L'aubergiste les ayant chassés sans ménagement, ils se réfugièrent chez un apothicaire, où Rabelais fit préparer des compresses d'arnica, la plante souveraine pour soigner les contusions, et une infusion d'ache des montagnes, d'angélique et de pervenche, qu'il fit boire à Mathieu. Il lava ses plaies avec un mélange de souci et de feuilles de plantain broyées. Profondément choqué, le petit peinait à retrouver l'usage de la parole. Bienveillant, l'apothicaire lui prépara une boisson à base de menthe fraîche, à laquelle il ajouta beaucoup de sucre, et lui offrit de la pâte de coing. Peu à peu, Mathieu reprit des couleurs et put raconter sa mésaventure.

Chiara et lui jouaient tranquillement à des devinettes en attendant le retour de Quentin. La porte de la chambre s'était ouverte avec fracas et Antoine Griot avait fait irruption, les mains tachées de sang.

— Il ne portait pas ses gants ? s'étonna Rabelais.

— Non.

— As-tu vu sur ses paumes des papules d'un rouge cuivré ?

— Je vous dis qu'il avait du sang sur les mains! s'énerva le gamin. Comment aurais-je pu voir?

— Continue.

Griot était allé droit sur Chiara, l'avait obligée à se lever, déclarant qu'elle devait le suivre. La jeune fille avait alors demandé si Quentin était avec lui.

— Vous ne le reverrez pas de sitôt! Il va rejoindre votre frère en prison. J'ai bien vu votre manège. Vous étiez prête à vous jeter dans ses bras. Je ne l'aurais pas supporté. Maintenant, vous êtes à moi.

Chiara avait pris peur, elle s'était élancée vers la porte, Griot l'avait rattrapée. C'est alors que Mathieu s'était jeté sur lui et que l'autre l'avait roué de coups. L'enfant s'était évanoui. Il éclata de nouveau en sanglots et demanda mille fois pardon pour ne pas avoir été à la hauteur.

— A-t-il évoqué l'endroit où il comptait emmener Chiara? demanda Quentin en lui tapotant l'épaule.

— Je ne me souviens pas, hoqueta Mathieu.

Essuyant de la main la morve qui lui coulait du nez, il reprit :

— Je crois qu'il a parlé de son frère qui s'était réfugié à… c'est trop compliqué… je n'ai pas bien entendu.

Les deux seules villes qui n'avaient pas été soumises à la dévastation ordonnée par Montmorency étaient Arles et Marseille.

— Était-ce l'une des deux? demanda Quentin.

— Arles, non, affirma le petit. Marseille, peut-être… je ne sais plus. J'ai entendu quelque chose comme «saigner»…

160

Épouvanté, Quentin eut la vision de Griot égorgeant Chiara. Rabelais avait dû avoir la même pensée, car il avait blêmi.

Ils gratifièrent l'apothicaire d'une somme rondelette pour sa bonne volonté et, s'étant assurés que Mathieu était en état de marcher, ils s'installèrent dans une taverne proche de la chapelle des Pénitents blancs, flambant neuve. Pour une fois, Quentin ne récrimina pas quand Rabelais commanda du vin. Ils avaient tous besoin de reprendre des forces. Le civet de lapin qu'on leur servit fut aussi le bienvenu.

Le point qu'ils firent sur leur situation n'était guère encourageant. Recherchés par les soldats du roi, et ne sachant où aller pour retrouver Chiara, aux mains d'un empoisonneur, assassin et potentiellement vérolé.

— Nous pourrions nous réfugier aux îles de Lérins. J'ai séjourné quelque temps à l'abbaye et j'y ai de bons amis, proposa Rabelais.

— On dit que Doria compte y débarquer avec les vivres destinés à Charles Quint, rétorqua Quentin.

— Mauvaise idée, je te l'accorde.

— Et que faites-vous de Chiara ? Vous comptez l'abandonner à son triste sort ? Alors que c'est vous qui nous avez imposé ce scélérat de Griot ?

— Non, non…, tempéra Rabelais, visiblement gêné. Mais, tu comprends, quand j'ai commencé à écrire une histoire, je n'ai qu'une hâte, y mettre un point final.

Indigné, Quentin explosa :

— Fieffé égoïste ! Quand vous avez une plume à la main, le monde autour de vous n'existe plus et doit s'arrêter ! Que faites-vous de vos beaux principes de médecin ? Jetés aux porcelets ? Ne m'avez-vous pas dit un jour que science sans conscience n'est que ruine de l'âme ? Vous seriez prêt à vous retirer dans le confort douillet d'une abbaye pour écrire une stupide histoire de saucisses volantes ?

— Pourceau volant, rectifia Rabelais.

— Saucisses, saindoux, saucissons, cervelas, andouilles, lard gras, boudins… je m'en moque !

— Mais oui, bien sûr ! J'ai oublié les boudins et les cervelas dans mon récit.

— Disparaissez ! Je me débrouillerai tout seul. Je retrouverai Chiara sans vous. Bon débarras.

Mathieu, regardant Rabelais d'un air furieux, ajouta son grain de sel :

— Vous devriez avoir honte.

— Vous avez tous les deux raison, mais ça me chatouille, ça me titille, ça me picote, ça me démange. Je suis comme un verrat sur la piste d'une laie. Il faut que j'en finisse. Trouvez-moi un encrier de voyage et je suis votre homme. Bien sûr, je ne vais pas abandonner cette pauvre jeune fille à un fou vérolé. Allez donc savoir ce qu'il pourrait lui faire.

— Le pire ! répondirent en chœur Quentin et Mathieu.

Ils achetèrent un petit coffret, contenant un encrier et quelques plumes, qui leur coûta les yeux de la tête. Presque aussi cher qu'une des trois mules dont ils firent l'acquisition, tous les chevaux étant réquisitionnés pour le service du roi. Avec l'argent qu'il leur restait, ils ne tiendraient qu'une dizaine de jours. Et encore, en vivant au plus juste. Après avoir délibéré de la direction à prendre, ils se décidèrent pour Marseille.

— Et si nous les trouvons, ne m'en veuillez pas si je vous laisse filer. J'ai la tête bouillonnante d'idées.

— Taisez-vous ! lui intima Quentin.

Ayant pris soin de se procurer des vêtements de paysan et de se cacher dans la garrigue dès qu'ils apercevaient une troupe à cheval, ils ne connurent guère de difficultés pour rejoindre Marseille, si ce n'est que les villages qu'ils traversaient étaient déserts, rendant impossible tout ravitaillement. À Avignon, ils avaient fait l'emplette de pain, lard, fromage et vin en quantité suffisante pour les trois jours que durerait le voyage. Rabelais fut d'une discrétion exemplaire, se contentant de houspiller sa mule récalcitrante, cette dernière ayant tendance à s'aventurer sur les bas-côtés pour brouter thym et romarin. Le premier soir, ils firent halte peu après Orgon, au bord de la Durance, où les mules purent s'abreuver. Il faisait encore jour et Rabelais se précipita sur son encrier, pour noircir des feuilles jusqu'à ce qu'il n'y voie goutte. Ses compagnons avaient déjà soupé de pain et de lard quand il se joignit à eux.

— Écoutez-moi! leur dit-il en s'octroyant une bonne rasade de vin. Je vais vous raconter la terrible guerre des Andouilles.

Quentin, tombant de sommeil, bâilla sans vergogne; Mathieu, à moitié assoupi, cligna des yeux.

— Un traité de paix avait été envisagé, mais Carême-Prenant ne voulait pas entendre parler des Boudins sauvages ni des Saucissons de montagne, les anciens bons compagnons des Andouilles. Ils demeurèrent donc ennemis. Quand ces Andouilles approchèrent, et que Pantagruel aperçut comment elles déployaient leurs bras et commençaient déjà à se préparer à attaquer, celui-ci envoya un émissaire entendre ce qu'elles avaient à dire et savoir pourquoi elles voulaient guerroyer contre leurs vieux amis, qui n'avaient rien dit ni fait de mal. L'émissaire fit une grande et profonde révérence en arrivant devant les premières rangées, et il s'écria aussi fort qu'il le pouvait pour dire : «Nous, nous, nous sommes tous vos vos vos amis, et à votre servi... vi... vice. Nous sommes des amis de Mar... Mar... Mardigras, votre vénérable dirigeant...» À ce mot, un gros Cervelas sauvage et dodu, qui conduisait la première ligne de leur bataillon, fit le geste de vouloir le saisir à la gorge. «Par Dieu, dit l'émissaire, tu n'y entreras que si je te coupe en tranches : car tu es fichtrement trop gras pour y entrer en un seul morceau. » Alors, il tira son épée Baise-mon-cul (c'est comme cela qu'il l'appelait) à deux mains, et trancha le Cervelas en deux morceaux. Crédieu, qu'il était gras ! Il me rappelle le gros taureau de Berne qui a été tué à Marignan lors de la défaite des Suisses. Croyez-moi, il n'avait pas loin de quatre doigts de lard sur le ventre.

Emporté par son élan guerrier et saucissonesque, Rabelais ne s'était pas aperçu que son auditoire dormait profondément. Un ronflement sonore de Quentin le dissuada de continuer. Il s'enroula dans une couverture, salua les étoiles et s'endormit.

La deuxième nuit, ils s'arrêtèrent dans une oliveraie, aux pieds du village de La Fare, tout aussi désert que les autres. L'atmosphère était étrange. Pas le moindre caquètement de poules, pas de braiment si ce n'est celui de leurs mules. Seules les cigales donnaient de la voix. Et Rabelais, qui leur relut la première partie de son récit.

— À propos de lard, vous ne vous êtes pas privé hier soir, lui reprocha Quentin. Dieu merci, nous serons à Marseille demain, sinon nous n'aurons plus que du pain sec à nous mettre sous la dent.

Rabelais le regarda avec une bonne dose de mépris.

— Tu veux du lard ? Tu vas en avoir. Écoute la suite. Après que l'émissaire a tué ce Cervelas écervelé, les Andouilles l'attaquent à son tour et le terrassent méchamment, mais Pantagruel et ses hommes accourent à son secours. Alors commence le combat martial pêle-mêle. Raflandouille érafle les Andouilles, Tailleboudin taille les Boudins, Pantagruel brise les Andouilles aux genoux. Frère Jean se tient silencieux, caché dans sa Truie de Troie (d'où il peut tout voir), quand les Godiveaux, qui étaient en embuscade, s'attaquent à Pantagruel en poussant de grands cris. En voyant ce désarroi et ce tumulte, Frère Jean ouvre les portes de sa Truie et sort avec ses fidèles soldats, les uns portant des broches de fer, les autres tenant landiers, couvercles, poêles et pelles, cocottes, grils, faitouts, tenailles, balais, pinces, marmites, mortiers, pilons, tous en ordre comme des brûleurs de maison, hurlant et criant tous ensemble épouvantablement : « Nabuzardan ! Nabuzardan ! Nabuzardan ! » Par de tels cris d'émeute, ils choquent les Godiveaux et traversent les Saucissons. Les Andouilles s'aperçoivent soudain de l'arrivée de renforts, et prennent leurs jambes à leur cou, comme si elles avaient vu tous les diables. Elles tombent comme des mouches sous les coups de bedaine de Frère Jean. Ses soldats ne font pas de quartier. Cela fait pitié à voir. Le camp est tout couvert d'Andouilles mortes ou blessées. Et le conte dit que si Dieu n'y avait pas veillé, toute la génération andouillique aurait été exterminée par ces soldats de cuisine. Mais il se produit alors un événement merveilleux, dont vous croirez ce que vous voudrez.

— À parler ainsi de guerre et de combat, vous allez nous porter malheur, l'avertit Quentin.

— C'est tout ce que tu trouves à dire ? s'indigna Rabelais.

— En temps normal, j'aurais applaudi à votre histoire, mais je ne cesse de penser à Chiara et à ce qui peut lui arriver.

Mathieu, qui pourtant avait bien ri, opina gravement du chef.

Vexé, Rabelais se réfugia dans un silence désapprobateur.

— Très bien, je ne vous raconterai pas la fin aujourd'hui. Vous devrez attendre Marseille, où je vous la ferai déguster devant une belle tranche de lard.

Ils n'atteignirent jamais Marseille. Du moins, ils ne purent y pénétrer. Et ils faillirent y laisser la vie. Quentin savait que la ville avait été fortifiée par Antoine de La Rochefoucauld, seigneur de Barbezieux, et que Montmorency avait renforcé la garnison, soit six mille hommes et treize galères. Mais il ignorait qu'à la minuit, alors que Rabelais, pris d'une fringale, terminait subrepticement leur provision de fromage, Charles Quint faisait partir trois mille Espagnols, quatre mille Italiens et cinq mille lansquenets en direction de Marseille. Quelques heures plus tard, l'empereur avait quitté son camp de la plaine d'Aix, entouré de la fine fleur de ses capitaines. Ils étaient arrivés dans une combe qui débouchait sur la plage de la Marine.

Ce fut la mule capricieuse de Rabelais qui donna l'alerte. Elle renâcla, s'arrêta en travers du chemin et refusa d'avancer. Rabelais mit pied à terre, tira sur les rênes, lui fouetta la croupe avec une branche de genêt, la regarda dans le blanc des yeux et la traita de mule du pape. Rien n'y fit. Elle s'échappa et escalada un talus abrupt. Mathieu, le plus agile des trois, se lança à sa poursuite. Une minute plus tard, il était de retour, l'air épouvanté.

— Là-bas… des milliers de soldats… des chevaux… des canons…

— Français ou ennemis ? demanda Quentin.

— Je ne sais pas…

Quentin suivit le même chemin. Il découvrit l'armée de Charles Quint, dont des détachements avançaient vers les fortifications qui n'étaient qu'à un jet de canon. Il vit aussi la mule de Rabelais, toute frétillante d'avoir retrouvé sa liberté, gambadant en direction des chevaux de l'armée impériale. Les oreilles dressées, elle commença à braire joyeusement. En réponse, les chevaux hennirent malgré les coups qu'ils recevaient. Une belle pagaille s'ensuivit, certains des animaux échappant à leurs gardes. Le concert de hennissements eut pour effet d'attirer l'attention des guetteurs sur les murailles de Marseille. Aussitôt une troupe d'arquebusiers sortit de la ville. Le canon tonna. Des masures où se cachaient des soldats de l'empereur furent pulvérisées.

— Regardez cette folie ! s'exclama Rabelais, qui, avec Mathieu, avait rejoint Quentin. La guerre est chose abominable.

Ils virent alors la tête d'un soldat emportée par un boulet de canon, virevolter dans les airs et s'écraser avec un bruit mou à une dizaine de toises de leur cachette. Ses yeux encore ouverts semblaient les fixer. Mathieu poussa un cri d'effroi, chancela, s'éloigna de quelques pas, s'accroupit hâtivement et laissa échapper une diarrhée puante. Honteux, il jeta un regard à ses compagnons.

— Chie, mon gars, le rassura Rabelais. C'est naturel. La vertu rétentrice du nerf qui resserre le muscle appelé sphincter, autrement dit le trou du cul, se relâche sous l'effet de la peur.

Laissant le gamin à ses affaires, il agita le doigt en direction d'un cavalier qui se mettait à couvert.

— Vertudieu! L'homme habillé de damas blanc avec une salade[1] bourguignonne au plumet violet et blanc, ce ne serait pas Charles Quint?

— Bien possible. Reculez, ne vous faites pas voir!

Quentin tira en arrière le trop curieux Dr Rabelais qui tomba dans un buisson de myrte et de lentisques dont il ne bougea plus.

— Je ne veux plus rien voir. Le choc des armures, le cliquetis des caparaçons, le fracas des masses d'armes, le froissement des piques, le bris des lances, le cri des blessés, le tonnerre des escopettes et des canons me suffisent.

Bénéficiant de l'effet de surprise, les troupes marseillaises avançaient vite, faisant des prisonniers emmenés sur-le-champ. Une charge de chevau-légers dispersa les arquebusiers. Les galères positionnées près de la côte tirèrent au canon. L'épouvante régnait dans les rangs de l'armée impériale. Les cris des blessés et des mourants crevaient le ciel. Ceux qui pouvaient encore fuir n'hésitèrent pas. Quentin vit disparaître le cavalier portant un plumet violet et blanc. S'il s'agissait bien de Charles Quint, il avait perdu la bataille.

---

1. Casque de forme ronde.

## 24

La bonne nouvelle de la défaite de Charles Quint en cachait une mauvaise : les portes de Marseille restèrent fermées. Seuls les militaires pouvaient entrer et sortir, et le trio se fit refouler, même après que Rabelais eut clamé qu'il était médecin et pouvait soigner les blessés.

— Déguerpissez! leur dit-on sans ménagement. Nous avons tout ce qu'il faut et nous ne prendrons pas le risque de faire pénétrer en ville des espions. Si vous rencontrez ce fuyard d'empereur, dites-lui bien que tout siège est inutile. Nous avons des vivres et des armes en abondance.

Quentin demanda quand les portes rouvriraient.

— Elles sont fermées depuis dix jours et le resteront tant que Charles Quint n'aura pas pris définitivement ses cliques et ses claques.

Quentin insista pour savoir si un barbier-chirurgien, accompagné d'une jeune fille, n'avait pas essayé d'entrer.

— Je vous dis que nous ne faisons aucune exception. Retournez d'où vous venez!

Ils firent demi-tour, l'oreille basse. Au moins avaient-ils appris que Griot et Chiara ne se trouvaient pas à Marseille.

Ils passèrent au large du champ de bataille jonché de harnois, lances, piques, arquebuses. Des soldats chargeaient les morts sur des charrettes.

Rabelais ayant perdu sa mule partie vivre sa vie avec les chevaux de l'empereur, Mathieu était fort inconfortablement monté en croupe sur celle de Quentin. Ils n'iraient pas bien loin comme ça, d'autant qu'ils ne savaient où aller ! Leurs provisions étaient épuisées et, s'ils avaient encore de l'argent, il n'y avait rien à acheter à des lieues à la ronde.

La nuit tombait. Ils reprirent le chemin par lequel ils étaient venus et s'arrêtèrent peu après la combe où avait stationné l'armée de Charles Quint. On devinait la mer à quelques encablures. Mathieu partit ramasser du petit bois, Quentin battit le briquet. Rabelais avait disparu. Il revint une bonne heure plus tard, la mine réjouie.

— Voyez ce que j'ai trouvé !

Se servant de sa chemise comme d'un sac, il avait récolté des centaines de minuscules escargots blancs.

Quentin le regarda d'un œil torve.

— Vous voulez nous faire manger ça ?

— À la guerre comme à la guerre.

— Et vous comptez faire comment ?

— Mon cher ami, un peu d'imagination, il n'y a pas que les cuisines du roi dans la vie. Vous prenez une belle pierre plate, vous la faites chauffer au cœur de la braise, vous la retirez, vous mettez nos escargots, vous saupoudrez de thym et vous dégustez !

Ils firent ainsi. Les escargots étaient si petits qu'ils durent manger aussi la coquille. Quentin admit que ce n'était pas si mauvais.

— Il y en a des milliers. Contrairement à leurs cousins petits-gris, il faut les chercher dans les arbres. Le sol étant trop chaud, ils vont prendre le frais en altitude.

— Ce n'est pas avec ça que nous tiendrons le coup, maugréa Quentin.

— Pense à tout ce qu'offre la nature : lièvres et lapins, salades et baies sauvages, grenouilles… Et réjouis-toi !

Au petit matin, ils eurent l'excellente surprise de trouver la mule de Rabelais broutant l'herbe rase du talus.

— Quelle bête intelligente ! s'extasia Rabelais. Elle a dû sentir qu'il n'y avait aucun avenir du côté de Charles Quint, et elle nous est revenue.

— Je ne vois pas bien ce que nous pouvons lui offrir de glorieux, rétorqua Quentin. Nous sommes en fuite, accusés d'avoir voulu empoisonner le Dauphin. Et si elle est si maligne, demandez-lui où se cache Griot, demanda Quentin, de très méchante humeur.

Mathieu, terrorisé par la bataille, n'avait pas ouvert la bouche depuis la veille. Il toussota et commença d'une voix timide :

— Je crois me souvenir que Griot a parlé de son frère. Peut-être avait-il l'intention de le rejoindre ?

— Ça ne nous avance guère. Son frère pourrait se trouver à mille lieues d'ici, grommela Quentin, peu enclin à l'optimisme.

— Couillasse, ne fais pas la mauvaise tête. Ce que dit ce petit n'est pas idiot. Si j'avais une famille, ce serait auprès d'elle que je chercherais du secours.

— La seule fois que Griot a évoqué son enfance, il était question d'Apt, marmonna de mauvaise grâce Quentin.

— J'allais le dire, triompha Rabelais. Dieu sait s'il n'en parlait pas souvent, mais une fois que je le félicitais de son savoir médical, il m'avait raconté l'avoir acquis auprès d'un médecin qu'il accompagnait dans la campagne d'Apt. Allez, ouste, en selle et cap sur Apt. Comme le dit Hésiode, entreprendre constitue déjà la moitié de l'ouvrage et, selon le proverbe familier, c'est en enfournant qu'on fait les pains cornus. Nous y serons dans deux jours. Et j'espère bien que nous y trouverons une taverne, je meurs de soif.

Car, si la faim les tenaillait, la soif était encore plus pénible à supporter, la canicule ayant asséché tous les ruisseaux qu'ils rencontraient.

La première journée, ils ne virent âme qui vive. Jean de Bonneval et ses soldats ayant très bien fait leur travail, tous les villages avaient été vidés de leurs habitants. À Éguilles, dans les maisons désertes où ils s'aventurèrent pour trouver un peu de nourriture, il ne restait rien, ni volailles ni fruits sur les arbres. Dépité, Rabelais regardait les tonneaux fracassés. Quentin arrêta à temps Mathieu qui voulait puiser de l'eau dans un puits.

— Malheureux, ne fais pas ça. Les puits ont été empoisonnés.

Sur une aire de battage, ils grappillèrent quelques grains de blé qu'ils mâchonnèrent consciencieusement, les accompagnant de fleurs de bourrache et de feuilles de pourpier trouvées dans un potager où tous les légumes avaient été arrachés. Seules les mules trouvaient leur bonheur. Et encore! Elles aussi commençaient à tirer la langue. Après leur frugal en-cas, ils s'assirent à l'ombre d'un micocoulier pour éviter de chevaucher pendant les heures les plus chaudes.

— Soyons philosophes! déclara Rabelais. À la question «À quelle heure l'homme doit-il manger?», Diogène répond : «Le riche, quand il veut, le pauvre, quand il peut.»

Assommés par la chaleur, Quentin et Mathieu hochèrent mollement la tête. Rabelais, que rien ne pouvait abattre, continua :

— Pour vous plaire, je vais vous raconter la fin de la guerre des Andouilles. Vous vous souvenez que, du côté de la Tramontane, un grand, gras, gros, gris pourceau était arrivé en volant, avec des ailes longues et amples comme celles d'un moulin à vent. Il portait des plumes d'un rouge cramoisi, comme celles d'un flamant rose. Il avait des yeux rouges et brillants comme un rubis, des oreilles vertes comme une émeraude, les dents jaunes comme une topaze, la queue longue et noire comme du marbre, les pieds blancs et diaphanes comme des diamants, et ils étaient palmés comme ceux des oies. Il portait un collier d'or autour du cou. Il faisait beau et clair. Mais, à l'arrivée de ce monstre, il y eut vers l'ouest un coup de tonnerre si fort que tous en restèrent étonnés. Les Andouilles qui l'aperçurent jetèrent tout à coup leurs bâtons et leurs armes à terre, elles se mirent toutes à genoux, en levant bien haut leurs mains jointes sans dire un mot, comme si elles l'adoraient. Frère Jean, avec ses hommes, frappait toujours et embrochait les Andouilles. Mais, sur un

174

ordre de Pantagruel, on sonna la retraite et tous les combats cessèrent. Le monstre ayant volé et revolé plusieurs fois au-dessus des deux armées arrosa la terre de plus de vingt-sept tonneaux de moutarde, puis il disparut en volant et en criant à tue-tête : « Mardigras, Mardigras, Mardigras. » Vous connaissez la suite, les Andouilles ressuscitèrent…

Une fois encore, Rabelais ne s'était pas aperçu que ses compagnons dormaient à poings fermés. Il leur tourna le dos, compta les fourmis et s'endormit à son tour.

Reprendre la route fut pénible. Chacun se taisait, et Rabelais avait perdu de sa superbe. Ils voyaient se dessiner au loin les montagnes du Luberon. Ayant enfin découvert une rivière où coulait un peu d'eau, ils décidèrent d'y faire halte pour la nuit et chacun partit dans la garrigue à la recherche de quelque manne providentielle. Mathieu, gamin des villes, se gardait bien de cueillir des herbes sauvages, se contentant de ramasser des brassées de bois mort. C'est ainsi qu'il découvrit un bébé hérisson qu'il rapporta triomphalement à ses compagnons.

— Va le remettre où tu l'as trouvé, lui enjoignit Quentin. Cet animal est plein de puces, et je ne me vois pas le faire griller.

En furetant, Quentin avait découvert de la roquette sauvage à la saveur si poivrée qu'elle en était presque immangeable. Il y avait de la rue en abondance, une plante dont se servait la Bougnette, la cuisinière de son père, mais son goût fétide le dissuada d'en cueillir. Champier lui avait dit qu'elle permettait de préparer le *moretum*, l'un des condiments préférés des Romains. Comme il leur manquait les autres ingrédients – ail, fromage, huile d'olive et vinaigre –, il ne pourrait en faire grand-chose. Pour ne pas revenir les mains vides, il ramassa du thym, du romarin, de la sarriette, se disant que Rabelais aurait certainement récolté quelques milliers de petits escargots. C'était le cas! Avec en prime des glands de chêne vert, que Mathieu et Quentin considérèrent d'un air circonspect. Il leur assura qu'on pouvait les manger comme des noisettes, contrairement aux glands des autres variétés de chênes, gorgés d'un tanin dont il faut se débarrasser en les cuisant longuement.

— Ce n'est pas tout! dit-il d'une voix triomphale. J'ai des baies de cade, un voisin du genévrier. Goûtez! Leur pulpe est sucrée. Et, pour finir, des pousses de salsepareille, roses et tendres, conquises de haute lutte, car cette plante en forme de liane a des épines acérées. Dommage qu'il soit trop tard pour les asperges sauvages et trop tôt pour les arbouses.

Devant le silence consterné de ses compagnons, il ajouta :

— C'est un maigre festin, je vous l'accorde. Si nous continuons à jeûner ainsi, les araignées vont faire leur toile sur nos dents, et la mousse nous poussera dans la gorge, faute de remuer et d'exercer nos badigoinces et mandibules.

## 25

Quentin était de plus en plus sombre. Il avait connu des moments difficiles où il avait craint pour sa vie et dont il s'était sorti de justesse, mais jamais il n'avait été accusé de félonie. Quand il était allé chercher Léonard de Vinci en Italie[1] et qu'il avait été précipité du haut d'une falaise accroché à une machine volante qui s'était écrasée dans une rivière, il avait cru sa dernière heure arrivée. Quatre ans plus tard, aux prises avec l'abominable secte de la Sainte-Vehme[2], il avait assisté aux pires supplices. Il y a tout juste dix ans, poursuivi par l'Inquisition, il avait dû fuir Madrid[3] et failli causer la perte d'Alicia. Alicia ! L'enfant était né. Étaient-ils vivants, l'un et l'autre ? Un message arriverait à Valence, d'un jour à l'autre. Alicia attendrait impatiemment sa réponse. Et que recevrait-elle en retour ? L'annonce que son mari avait trahi le roi, était un empoisonneur et avait pris

1. Voir *Le Sang de l'hermine*, éditions J.-C. Lattès, 2011 ; Le Livre de Poche, 2013.
2. Voir *De sang et d'or*, éditions J.-C. Lattès, 2012 ; Le Livre de Poche, 2014.
3. Voir *Le Prisonnier de l'Alcázar*, *op. cit.*

la fuite. Dans quelque temps, sa déchéance serait notifiée et, à titre de vengeance, le roi s'emparerait de ses terres et de ses biens. Alicia protesterait, affirmerait que Quentin était incapable d'un tel geste. La connaissant, elle irait le voir, appellerait au secours Marguerite, la sœur de François, qui l'avait en amitié. Elle plaiderait sa cause, mais le roi, inflexible, ne voudrait rien entendre. Mathilde, la propre sœur de Quentin, elle aussi se battrait pour sauver son honneur. Alicia, Marguerite, Mathilde... ces femmes droites et courageuses qui croyaient en lui et qu'il allait décevoir de la plus horrible des manières. Et ses enfants? Quentin n'osait penser à leur avenir. Un père qui disait les aimer tendrement mais les abandonnait... Leur nom serait sali à jamais. Ils ne pourraient accéder à aucune des charges auxquelles leur rang leur donnait droit. Sans doute leur mère se réfugierait-elle dans sa famille à Rouen. Ils seraient à l'abri du besoin, les Civille étant de prospères commerçants, mais ils ne connaîtraient jamais les honneurs et les fastes de la cour.

— Tu ne termines pas tes escargots? lui demanda Rabelais. Donne-les au petit.

Sans un mot, Quentin abandonna sa part à Mathieu qui s'en empara avec délectation.

— Ne me dis pas que tu n'as plus faim, continua Rabelais.

Quentin haussa les épaules.

— Es-tu malade?

— Je suis maudit.

— Ah! Ça, c'est nouveau. Et cette malédiction, tu l'as pêchée où?

— Non, ce n'est pas nouveau ! Tout a commencé avec un vitrail représentant saint Adrien dans l'église de Louviers. Il me ressemblait étrangement, et ma sœur Mathilde a échafaudé une histoire qui m'a fait douter de ma filiation.

— Ta sœur a-t-elle toute sa tête ?

— Je ne vous permets pas !

— Parfois, les jeunes filles ressentent des exaltations propres à leur sexe et se perdent dans des rêveries inopportunes. Qu'est-elle devenue ?

Rabelais prit une poignée de baies de cade qu'il mâchouilla en faisant la grimace. Mathieu réclama sa part.

— Elle est au service de Marguerite de Navarre. Son mari et son fils sont morts alors qu'elle n'avait pas trente ans.

— J'imagine qu'elle a pris fait et cause pour la religion réformée.

— Comment le savez-vous ?

— Il ne faut pas être grand clerc pour le deviner. Les proches de Marguerite, notre marguerite des marguerites, sont tous proches des thèses de Luther. Quand il a été accusé d'avoir mangé du lard en Carême, Clément Marot ne s'est-il pas réfugié chez elle avant de trouver asile chez Renée de France, à Ferrare ? Ta sœur est une femme généreuse et rebelle, voilà tout. Bon, alors, quoi d'autre ?

— À Canterbury, un vieux moine a cru reconnaître en moi Philippe de Chanteloup, un personnage peu recommandable du temps où les Templiers ont été chassés de France.

Mathieu recracha les baies de cade. Rabelais lui passa la gourde d'eau pour qu'il se rince la bouche.

— Et tu crois ce que disent les moines ? Ils sont tous plus ignares les uns que les autres, portés sur la bouteille et prêts à tout pour te soutirer quelques deniers. Je suppose que c'est ce qu'il a essayé de faire.

— C'est exact. Il voulait la moitié du supposé trésor des Templiers que Chanteloup avait transporté de France en Écosse.

— Bien entendu, il n'y avait pas plus de trésor que de beurre en broche ?

Quentin acquiesça. Rabelais se frottait les mains de contentement.

— Par saint Rigomer, tout cela me plaît ! J'imagine qu'ensuite tu as rencontré un mage, qui a dû te dire qu'apparaîtraient dans le ciel quatre lunes, que les étoiles s'entrechoqueraient, que surgiraient des maladies pestilentielles et autres joyeusetés.

— C'étaient ses paroles. Un alchimiste de Lisieux…

— Cela fait partie du catalogue d'imbécillités que ces jargonneurs se croient autorisés à délivrer.

— C'est lui qui m'a dit que je causerais la perte de ma famille, qui me renierait, et que mon nom n'y survivrait pas.

— Bien sûr ! Rassure-toi, il l'a dit à des dizaines d'autres que toi, tous aujourd'hui assurés d'une belle descendance.

Quentin esquissa un sourire.

— As-tu rencontré d'autres mages ?

— À Lyon. Peut-être l'avez-vous connu, Cornelius Agrippa…

Rabelais partit d'un rire si énorme que sa mule, qui désormais restait quasi collée à lui, partit au galop.

— Herr Trippa et sa saloperie de chien noir. Le meilleur, le plus grand des malfaisants. Et que t'a-t-il raconté ?

— La même chose. Que mon destin était de trahir les miens et de me déshonorer.

— Je suis déçu ! Il ne t'a pas parlé de géomancie, chiromancie, pyromancie, hydromancie, lécanomancie, catoptromancie, coscinomancie, aéromancie, gastromancie, métopomancie, onomatomancie ? N'a-t-il pas vu ta mauvaise ligne au-dessus du mont de Jupiter, ta septième maison aux aspects mauvais et sous le feu de tous les signes portant cornes, dans ta quatrième maison la décadence de Jupiter et en même temps l'aspect tétragone de Saturne associé en Mercure ? Dommage, tu as raté quelque chose !

Quentin se tut.

— Sauf votre respect, tout ça, c'est vrai, déclara Mathieu. Les astres nous gouvernent et peuvent nous envoyer les pires choses. Il faut croire aux prédictions.

— Des prédictions, je vais t'en faire, moi. Sache donc que cette année il y aura tant d'éclipses du soleil et de la lune que nous en serons fort perturbés. Saturne sera rétrograde, Vénus directe, Mercure inconstante. Et bien d'autres planètes n'iront pas à notre commandement. Donc, pour cette année, les chancres iront de côté et les cordiers à reculons, les escabelles monteront sur les bancs, les broches sur les landiers et les bonnets sur les chapeaux, les coussins se trouveront au pied du lit, les couilles pendront à plusieurs par faute de gibecières, les puces seront noires pour la plupart, le lard fuira les pois en carême, le ventre ira devant, le cul s'assoira le premier, on ne trouvera pas de fève dans le gâteau des rois, les bêtes parleront en divers lieux.

Il chassa la mule qui, de retour, lui donnait des petits coups de tête affectueux et il reprit :

— Cette année, les aveugles ne verront que bien peu, les sourds entendront assez mal, les muets ne parleront guère, les riches se porteront un peu mieux que les pauvres et les bien portants mieux que les malades. Les almanachs indiquent les phases de la lune, la position des signes du zodiaque et les moments favorables pour se purger, se faire raser, saigner, ventouser. Je déteste les charlatans qui profitent de la crédulité du peuple, de l'angoisse de l'avenir. Voilà, mes chers amis, ce que je pense.

À demi convaincu, Quentin repartit à l'assaut :

— J'ai toujours fait des rêves effrayants et souvent prémonitoires.

— Héraclite disait que, par les songes, rien ne nous est révélé, que rien non plus ne nous est caché. Je vais te donner un bon conseil : au souper, ne mange ni fèves, ni lièvre, ni choux susceptibles de troubler tes esprits animaux. Car l'esprit ne reçoit pas les formes qu'on voit prophétiquement en songes si le corps est agité et troublé par les vapeurs et les fumées des mets qu'il vient d'absorber. Tu mangeras de bonnes poires de Bergame, une pomme court-pendu et quelques pruneaux de Tours, et il n'y aura pas lieu de craindre qu'il en résulte des songes équivoques, fallacieux ou suspects. C'est le médecin qui parle !

## 26

C'est en arrivant dans la combe de Lourmarin qu'ils commencèrent à rencontrer un peu de
monde. Pourtant, la contrée était aride, rocailleuse,
inhospitalière en diable. Il leur fallut emprunter des
chemins escarpés, ravinés, bordés de sombres forêts
de chênes verts. À demi rassuré, Quentin gardait
la main sur sa dague, les lieux étant propices à une
attaque de malandrins... ce qui ne tarda pas à se
produire, sauf qu'il s'agissait d'une bande de paysans qui ne leur firent aucun mal. Maigres comme
des harengs mais armés de masses et de faux, ils
assuraient la garde de la vallée et avaient vite compris que deux hommes d'âge mûr et un enfant
juchés sur des mules ne faisaient certainement pas
partie de l'avant-garde de l'armée impériale. Ils leur
posèrent mille questions sur l'état d'avancement de
la guerre et se réjouirent bruyamment d'apprendre
le recul de Charles Quint devant Marseille. Eux-
mêmes venaient tout juste de vivre une grande victoire. Une centaine de soldats ennemis poussant
devant eux un troupeau de moutons avaient voulu
rejoindre leurs camarades arquebusiers qui s'étaient

emparés du château de Lourmarin. Le seigneur du lieu, avec seulement vingt hommes, avait repris le bétail, fait trente prisonniers et fait fuir les autres. Une sanglante bataille avait eu lieu pour reprendre le château aux arquebusiers.

Quentin ne put s'empêcher d'admirer le courage de ces hommes. Alors qu'ils avaient tout perdu, qu'ils avaient été chassés de leur maison, ils trouvaient encore le moyen de se battre pour le roi de France. L'un d'eux, qui venait d'Éguilles, pleura quand ils lui racontèrent l'état de désolation dans lequel ils avaient trouvé le village. On leur offrit de l'eau en précisant que c'était leur bien le plus précieux. Quand Rabelais demanda innocemment s'ils pourraient trouver quelque nourriture à Lourmarin, il eut droit à un grand éclat de rire.

— Si vous aimez la chair de lézard, vous en trouverez en abondance. Sinon, passez votre chemin. Il n'y a plus rien. Nous vivons dans des grottes et nous chassons les petits oiseaux, les hérissons…

Ils leur souhaitèrent bonne chance et bonne route jusqu'à Apt, qui n'était qu'à un peu plus de quatre lieues.

Les mules peinaient. Eux aussi. Ils ne virent plus personne, à part quelques enfants munis d'un lance-pierre pourchassant un vol de grives.

— Une terrible faim fait aboyer mon estomac, se plaignit Rabelais. Je rêve d'un bon hypocras blanc avec de tendres rôties grillées, de pain de chanoine, de pain mollet. Que diriez-vous de longes de veau froides saupoudrées de gingembre, avec en prime

choux cabus à la moelle de bœuf, andouilles capara-
çonnées de moutarde fine, langues de bœuf fumées,
échine de porc aux pois, fricandeaux, venaison salée
aux navets, épaule de mouton à l'ail, côtelettes de
porc à l'oignonade, chapons rôtis dans leur jus? Je
vois une table où nous attendent cochons au moût,
canard à la dodine, poules bouillies à la sauce
blanche, saumons salés, huîtres en écaille, gâteaux
feuilletés, pêches de Corbeil, gaufres, crêpes, pâtes
de coing, poupelins d'Angers, dragées de cent couleurs, oublies au sucre fin…

— Par pitié, messire Rabelais, taisez-vous! supplia
Mathieu. C'est déjà dur de ne pas manger, mais vous
entendre parler mangeaille me met au supplice.

— Je ne t'entends pas. Ventre affamé n'a pas
d'oreilles!

Rabelais se tut, puis reprit :

— Sachez que l'appétit, par l'entremise d'un peu
de bile acidulée, qui lui est transmise par la rate,
appelle à enfourner les aliments dans l'orifice de l'estomac. La langue les goûte, les dents les mâchent,
l'estomac les reçoit, les digère et les transforme en
chyle, les veines du mésentère en sucent ce qui est
bon et profitable, laissant de côté les excréments qui,
par un dynamisme d'expulsion, sont évacués par un
conduit approprié.

— Taisez-vous! rugit Quentin.

Au détour du chemin, tout en bas dans la vallée,
la petite ville d'Apt leur apparut. Priant pour qu'elle
ne soit pas déserte, qu'ils puissent y trouver quelques
vivres et, surtout, la trace d'Antoine Griot, ils se

hâtèrent. Leurs mules les conduisirent directement dans le lit du Calavon, où subsistait un mince filet d'eau. De là, ils purent voir, avec un immense soulagement, que les portes de la ville n'étaient pas closes. En outre, les paysans qui allaient et venaient ne semblaient pas morts de faim. Quand ils demandèrent où ils pourraient trouver un médecin, on les regarda avec commisération. Il n'y en avait plus qu'un, le Dr Sylvestre, demeurant près de la cathédrale ; mais, s'ils étaient malades, il ne pourrait pas grand-chose pour eux. Le pauvre était si vieux ! En plus, il avait perdu la tête.

Une jeune fille d'une quinzaine d'années vint leur ouvrir. Elle parut étonnée qu'ils veuillent voir le médecin.

— Il n'y a que les plus pauvres qui viennent le consulter, car il ne les fait pas payer. Si vous avez de l'argent, allez à Cavaillon, ce sera plus sûr.

Comme ils insistaient, elle les conduisit dans une pièce du premier étage où régnait une chaleur torride. Ils découvrirent là un vieil homme, tassé dans un fauteuil. Sa petite tête toute ridée, auréolée de fins cheveux blancs, émergeait d'une couverture enroulée autour de lui. On aurait dit un très, très vieux bébé. Il leur sourit aimablement.

— Comme c'est gentil de venir me voir par cette tempête de neige à ne pas mettre le nez dehors. Anaïs, sois gentille, remets des sarments dans la cheminée, que nos hôtes n'attrapent pas froid.

La jeune fille jeta du petit bois dans le feu qui crépita joyeusement.

On leur avait dit vrai. L'esprit du pauvre homme battait la campagne. Cela n'arrangeait pas leurs affaires. Quentin se lança.

— Docteur Sylvestre, nous cherchons Antoine Griot. Savez-vous où il pourrait être ?

— Bien sûr ! Il est passé me voir il y a deux jours.

Derrière son maître, Anaïs fit de grands gestes de dénégation.

— Ah ! Un si brave petit, continua le vieil homme. Très doué pour la médecine. Savez-vous que je l'ai vu pratiquer une césarienne ? La femme est morte, mais il a sauvé l'enfant. Dommage que cela se soit si mal passé après.

— Vous parlez de l'enfant ? hasarda Rabelais.

— Non, voyons, d'Antoine ! rétorqua le médecin, mécontent de son interruption. À cause de Pierre.

— Qui est Pierre ? voulut savoir Quentin.

— Pierre, le barbe, son frère ! Il était barbier.

De quelle barbe parlait-il ? Ni Rabelais ni Quentin n'osèrent le lui demander. Le pauvre homme était décidément trop confus.

— L'Inquisiteur. Jean de Roma !

Au mot d'inquisiteur, Quentin frissonna.

— Vous pourchassez les Vaudois, vous aussi ? Anaïs, fais-les sortir. Ce sont des malfaisants !

La jeune fille leur adressa un geste d'impuissance, remonta la couverture qui avait glissé et les invita à la suivre.

— Attendez ! s'exclama Rabelais. Nous n'avons aucun grief contre les Vaudois, bien au contraire. Ils vivent dans la vraie foi.

— Qu'en savez-vous ? demanda le vieux.

— Je viens de Lyon, où est né Pierre Valdès, qui a montré le chemin à ses disciples.

— Oh! Vous connaissez Pierre Valdès!

Le ton du vieil homme s'était fait admiratif. Rabelais ne put lui dire qu'il était mort depuis plus de trois siècles.

— Euh… Pas personnellement…

Le vieux se rembrunit.

— Mais je connais très bien Antoine Griot. Je travaille avec lui à l'Hôtel-Dieu de Lyon.

Le vieux se rasséréna.

— Anaïs, apporte à boire et à manger à ces braves gens.

La jeune fille se retira en les priant de l'excuser d'avance du peu qu'ils avaient à offrir.

— Vous êtes vaudois? demanda le Dr Sylvestre, qui semblait avoir recouvré tous ses esprits. Je ne le suis pas, mais je ne supporte pas le sort qui est fait à ces pauvres gens. Pourquoi les persécuter? Ils vivaient en paix et en harmonie avec tout le monde.

— Que voulait l'Inquisiteur? demanda doucement Quentin.

— Terrible histoire. Il y a huit ans – j'avais encore toute ma tête à ce moment-là –, l'évêque d'Apt a commencé à intenter des procès en hérésie, puis il s'est adjoint un dominicain, Jean de Roma, qui a perpétré massacres, viols, tortures et pillages au nom du Christ. C'est lui qui a arrêté Pierre Griot, le frère d'Antoine, et l'a fait passer en jugement. C'est à ce moment qu'Antoine a disparu. On ne l'a plus jamais revu. Il devait se marier. La pauvre Guillemette ne l'a pas pleuré longtemps, elle est morte deux mois plus tard, d'une épidémie de peste. Pourriez-vous fermer la fenêtre? Il recommence à neiger. J'ai si froid.

Anaïs entra avec une soupière fumante d'où montaient de chauds effluves de ragoût de mouton.

— Nous n'avons plus de pain, s'excusa-t-elle. J'ai préparé de la fromentée d'épeautre.

Elle leur tendit une cuillère et une écuelle. Dans un silence religieux, ils la regardèrent verser la sauce brune et odorante.

Mathieu se brûla la langue en voulant manger trop vite. Rabelais avait les larmes aux yeux après la première bouchée. À la seconde, Quentin s'exclama :

— Je n'ai jamais rien mangé d'aussi bon !

En quelques minutes, la soupière fut vidée, saucée jusqu'à la dernière goutte. Le Dr Sylvestre, perdu dans ses pensées, n'avait plus dit un mot.

Anaïs les raccompagna. Étouffant discrètement un rot, Rabelais la remercia pour cet excellent repas.

— C'est moi qui vous remercie, dit-elle. Plus personne ne vient voir le Dr Sylvestre, sinon d'anciens malades qui m'apportent de quoi nous nourrir mais ne veulent pas l'écouter rabâcher ses sempiternelles histoires. Pourtant, c'est un saint homme. Il m'a recueillie quand mes parents sont morts, et je fais tout pour adoucir la fin de sa vie.

— Vous deviez être très jeune quand a eu lieu le procès de Pierre Griot ? lui demanda Quentin. Vous souvenez-vous de son frère ? Savez-vous ce qu'il est devenu ?

La jeune fille prit un air gêné et baissa les yeux.

— Non.

— Nous n'avons aucune mauvaise intention envers les Vaudois, croyez-le bien. Rien de ce que vous pourrez nous dire ne sera rapporté. Nous sommes à la recherche d'une jeune fille enlevée par Antoine Griot.

Anaïs tressaillit légèrement.

— Ayez confiance, ajouta Rabelais.

— J'ai été enlevée, moi aussi, dit-elle dans un souffle. L'année du procès. Des soldats du pape sont arrivés à Cabrières, où je suis née, et ils m'ont emmenée avec dix autres filles entre dix et seize ans. J'en avais douze. Nos pères ont pris les armes pour tenter de nous délivrer. Ils furent pris par les soldats. C'est Eustache Marron et quelques hommes qui nous tirèrent tous de cet enfer. Après son procès, Pierre Griot a réussi à s'enfuir et à rejoindre la troupe de Marron. Ensemble, ils ont combattu ceux qui nous voulaient du mal. L'année dernière, ils ont tué le sieur d'Agoult et Nicolas Lautier d'Apt, qui devait arrêter les Vaudois de Roussillon. On dit d'Eustache Marron qu'il est sanguinaire, mais je lui dois la vie.

— Pierre Griot est toujours à ses côtés? demanda Quentin.

Anaïs ne répondit pas.

— Nous ne dirons rien.

— Comment puis-je le savoir?

— La demoiselle que nous cherchons a dix-huit ans. Elle court un grave danger et notre seul but est de lui sauver la vie, déclara Mathieu d'une voix tremblante.

Anaïs regarda le jeune garçon.

— J'ai douze ans, continua-t-il, et je sais ce que c'est que d'avoir peur. Je vivais dans la rue mais, grâce à messire Quentin, j'ai maintenant un métier et un avenir. Nous ne vous trahirons pas.

Les paroles de Mathieu firent leur effet. Les traits d'Anaïs se détendirent.

— Je sais que Pierre n'est pas loin. Il a quitté Eustache Marron et il s'est marié. Sa femme a eu un enfant. Il se cache quelque part, mais je vous jure que je ne sais pas où.

La jeune fille semblait sincère.

— Anaïs ! Anaïs !

La voix impérieuse du Dr Sylvestre se fit entendre. Elle les pria d'attendre, entra dans la chambre et revint deux minutes plus tard.

— Il vous prend pour Antoine et Pierre Griot. Il veut vous offrir l'hospitalité.

— La benoîte Vierge est avec nous, s'écria Rabelais. Nous dormirons dans un lit. Et je vais pouvoir écrire !

## 27

Pendant que Mathieu tenait compagnie au vieux médecin qui l'avait pris en amitié, Quentin et Rabelais établirent avec Anaïs la liste des lieux où pourrait se trouver Griot. Elle était interminable : Roussillon, Lacoste, Saint-Saturnin, Rustrel, Castellet, Saignon, Sivergues, Buoux, Gargas… sans compter les hameaux, bastides, grottes… La tâche paraissait impossible. Ils avaient cruellement besoin d'un signe du destin, d'un geste de la providence divine. Anaïs fut chargée d'enquêter auprès des habitants d'Apt. Quelqu'un aurait-il vu Antoine ou Pierre Griot ? Elle revenait immanquablement bredouille. Quentin pestait contre le temps qui passait. Rabelais s'enfermait pour écrire ou faisait du charme à Anaïs pour tenter de lui faire oublier l'incident qui avait eu lieu le lendemain de leur installation chez le Dr Sylvestre. Radieux, Rabelais avait pris place à la table du déjeuner, puis lancé à la cantonade :

— Quel bonheur ! J'ai chié comme neuf buffles et quatorze archiprêtres ! J'en ai profité pour commencer une ode au torche-cul.

Anaïs, qui leur servait un bouillon de poule, resta interdite, la louche à la main.

— Écoutez le début! Une fois, je me suis torché avec le cache-nez de velours d'une demoiselle, ce que je trouvai bon, vu que sa douceur soyeuse me procura une bien grande volupté au fondement; une autre fois, avec un chaperon de la même et le résultat fut identique; une autre fois, avec un cache-col; une autre fois, avec des cache-oreilles de satin de couleur vive, mais les dorures d'un tas de saloperies de perlettes qui l'ornaient m'écorchèrent tout le derrière. Que le feu saint Antoine brûle le trou du cul à l'orfèvre qui les a faites et à la demoiselle qui les portait.

Anaïs, écarlate, les yeux baissés, n'osait faire un geste.

— Ce n'est ni le lieu ni le moment pour ce genre de propos, gronda Quentin, qui avait remarqué sa gêne.

— Tu te trompes! Rien de tel que la table pour un propos torche-culatif. Voici la suite : ce mal me passa lorsque je me torchai avec un bonnet de page, bien emplumé à la suisse. Puis je me torchai avec les draps, les couvertures, les rideaux, avec un coussin, une carpette, un tapis de jeu, un torchon, une serviette, un mouchoir, un peignoir; tout cela me procura plus de plaisir que n'en ont les galeux quand on les étrille. Mais, pour conclure, je dis et je maintiens qu'il n'y a pas de meilleur torche-cul qu'un oison bien duveteux, pourvu qu'on lui tienne la tête entre les jambes.

Rabelais s'était levé et mimait l'acte. Mathieu riait à en perdre haleine. Anaïs s'était réfugiée au fond de la cuisine.

— Croyez-m'en sur l'honneur, vous ressentez au trou du cul une volupté mirifique, tant en raison de la douceur de ce duvet que grâce à la bonne chaleur de l'oison qui se communique facilement du boyau du cul et des autres intestins jusqu'à se transmettre à la région du cœur et à celle du cerveau.

— Ça suffit ! cria Quentin.

Trop tard. Anaïs s'était enfuie en courant. Rabelais n'y prêta pas attention.

— Ne croyez pas que la béatitude des héros et des demi-dieux qui sont aux Champs Élysées tienne à leur asphodèle, à leur ambroisie ou à leur nectar, comme disent les vieilles de par ici. Elle tient, selon mon opinion, à ce qu'ils se torchent le cul avec un oison.

Depuis, Anaïs se tenait prudemment à l'écart du Dr Rabelais, malgré les efforts de ce dernier pour se rabibocher avec elle.

La pauvrette se démenait comme une diablesse pour préparer à manger avec les maigres ressources de la maison. Le Dr Sylvestre picorait moins qu'un moineau, elle-même se contentait de peu, mais elle mettait un point d'honneur à servir à leurs hôtes une nourriture variée qui se révélait délicieuse. Avec de l'ail des ours et de l'égopode, une plante au goût de persil qui croissait dans les jardins ombragés, elle leur préparait des rôties saupoudrées d'un peu de fromage de chèvre râpé qui fondait au contact des braises. Avec les premières mûres et des fleurs de mélilot cueillies au bord des chemins, elle confectionnait un délicieux dessert. Elle transformait les baies de sureau en un sirop que Mathieu adorait.

Dans les collines, elle trouvait en abondance du chénopode, l'épinard du pauvre, qu'elle mélangeait avec des œufs, des fleurs de reines-des-prés, des feuilles de mauves, un peu d'épeautre, et façonnait en quenelles. Patiemment, elle récoltait des graines de carottes, des racines de salsifis, dont elle faisait une salade avec du pourpier. Elle avait appris à Mathieu à poser des collets pour attraper des lapins. Le gamin s'était alors pris de passion pour la chasse et abandonnait le Dr Sylvestre pour courir la garrigue et rapporter triomphalement son butin. Rôtis dans la cheminée avec du thym, du serpolet, de la sarriette, lièvres et lapins devinrent presque quotidiens. À tel point que Rabelais s'en plaignit.

— Mathieu, ne pourrais-tu capturer d'autres animaux ? Une vache, par exemple, ou un mouton bien dodu… Nous allons tous finir avec de grandes oreilles !

S'il n'avait guère le cœur à se préoccuper du contenu de son assiette, Quentin se montrait de plus en plus admiratif devant l'ingéniosité et les tours de main d'Anaïs.

Certains cuisiniers avec qui il avait travaillé auraient eu avantage à s'en inspirer. Son vieil ami John Philbert, maître d'hôtel à la cour d'Henri VIII, qui se piquait de mettre la main à la pâte et créait de délicieuses recettes, aurait adoré voir travailler la jeune fille. Comme Sébastien, il avait été faussement accusé de vouloir attenter à la vie du roi d'Angleterre sur ordre de Thomas More et y avait laissé la vie. Quentin avait essayé de savoir si le procès de

Sébastien avait commencé, mais à Apt on ne savait rien. La guerre était le seul sujet de préoccupation.

Pour tromper le temps, Quentin accompagnait Anaïs dans la cueillette aux herbes sauvages. Un jour, alors qu'ils étaient montés jusqu'à Saignon, les abords d'Apt ne recelant pratiquement plus rien de comestible, il crut voir une longue silhouette noire qui ne lui était pas inconnue. L'homme longeait un sentier qui se perdait dans la garrigue. Quentin voulut le suivre mais, hélas, il perdit sa trace.

— Où va ce chemin ? demanda-t-il à Anaïs quand il revint auprès d'elle.

— Il mène à La Molière et se termine en cul-de-sac.

— Et, dans ce cul-de-sac, y a-t-il un hameau ?

— Non, une simple bastide qui appartient au baron d'Oppède. Les Griot ne peuvent y être.

— Pourquoi en es-tu si sûre ?

— Le baron a juré la perte des Vaudois. C'est le plus acharné de tous. On dit qu'il veut s'approprier leurs terres.

— Il vient souvent ici ?

— On ne l'a jamais vu. Mais on sait qu'il faut le craindre.

— La bastide est vide ?

— Je crois.

Un des apothicaires d'Apt, qui s'était absenté plusieurs semaines pour aller soigner sa mère, leur fournit une précieuse indication. Oui, il avait reçu la visite d'Antoine Griot. Il n'en avait pas cru ses yeux. Il lui avait demandé les raisons de son retour, mais Griot n'avait pas voulu répondre. Très nerveux et

196

pressé, il avait exigé une préparation compliquée de castoreum[1], de poudre de hyacinthe, cette pierre d'un rouge couleur sang, d'eaux distillées de mélisse et de chardon bénit ainsi que de l'eau de fleur d'oranger et de l'huile d'œillet.

— Maladie de langueur, laissa tomber Rabelais.

— Pas la vérole ? voulut savoir Quentin.

— Non, il aurait demandé du bois de gaïac ou du mercure.

L'apothicaire leur confirma qu'il n'avait rien commandé de tel mais avait insisté pour avoir des grains d'opium. Comme il n'en avait presque plus en réserve, le marchand avait refusé. Griot s'était alors montré menaçant. Prenant peur, l'apothicaire lui avait cédé une dizaine de grains.

— De quoi assommer un bœuf, soupira Rabelais.

— Nous n'avons pas de temps à perdre. Chiara est malade. Dieu sait ce que Griot compte lui faire.

La présence de Griot à Saignon fut confirmée le soir même par Mathieu qui, en entendant le nom du village, s'exclama :

— C'est ça ! Saignon ! J'avais cru que Griot disait saigner…

Tous se regardèrent en espérant qu'ils arriveraient à temps.

_____

1. Sécrétion huileuse produite par le castor.

## 28

L'expédition à La Molière fut décidée pour le lendemain. Anaïs leur montrerait le chemin, puis resterait en retrait. Mathieu insista pour venir, faisant valoir que, vu sa taille, il pourrait facilement s'introduire là où ses compagnons rencontreraient des difficultés. Il pourrait aussi donner l'alerte en cas de danger.

Avant de partir, ils prirent un sérieux en-cas : omelette aux morilles séchées qu'Anaïs conservait précieusement et qu'elle décida de sacrifier pour l'occasion, salade d'herbettes sauvages et fougasse cuite sous la cendre.

Leur petite troupe hétéroclite se mit en marche de bon matin. Depuis quelques jours, la chaleur était moins accablante. Un violent orage avait fait reverdir les champs. Les mules, qui avaient bénéficié d'un long repos, étaient fringantes et grimpaient vaillamment la côte menant au village. De mauvaise humeur dès qu'il fallait se lever tôt, Rabelais rouscaillait. Quentin s'inquiétait de ce qu'ils trouveraient à La Molière. Il n'avait pour arme qu'une dague. En fouillant dans ses ustensiles, Anaïs avait trouvé deux grands couteaux qu'elle avait donnés à Mathieu et à Rabelais. En aucun cas ils ne devaient tuer Griot, mais le ramener à Valence, afin qu'il avoue être l'auteur de la tentative d'empoisonnement du dauphin Henri et le meurtrier de Mahaut la Ribaude.

Ils laissèrent sur leur gauche le rocher de Saignon couronné d'un château fortifié et continuèrent le chemin à flanc de colline. À une demi-lieue du village, Anaïs leur fit prendre un sentier à travers la garrigue et, peu après, ils découvrirent un vallon dominé par une grande bastide de deux étages. Aussitôt, ils mirent pied à terre, attachèrent les mules à des arbres et avancèrent à la queue leu leu dans sa direction. De loin, elle semblait inhabitée. Aucune fumée ne s'en échappait. À droite du chemin, Quentin remarqua un monticule de terre fraîchement remuée surmonté d'une croix grossière. Une tombe! Rabelais lui aussi l'avait vue. Ils échangèrent un regard où se lisait l'inquiétude.

La cour était encombrée de jarres et de tonneaux brisés, prouvant là encore que les soldats de Jean de Bonneval avaient fait leur office. L'étable, la porcherie, le poulailler étaient vides de tout occupant.

La porte n'était pas fermée à clé et, en silence, ils pénétrèrent dans une grande pièce où une cheminée monumentale occupait le côté droit. Le sol de terre battue était soigneusement balayé, et ils eurent la surprise de découvrir des centaines de bouquets de lavande, bourrache, romarin, silène, chèvrefeuille, coquecigrue, mauve, pois de senteur…

— Regardez! s'exclama Anaïs. Des dizaines de cierges… On se croirait à un enterrement.

— Chut, la réprimanda Quentin. Ne fais pas de bruit.

Les bougies formaient une sorte d'arc de cercle. L'étrange mise en scène mit Quentin mal à l'aise.

— Ces fleurs sont peut-être là pour dissimuler l'odeur d'un cadavre, hasarda Rabelais.

— Taisez-vous ! Ne parlez pas de malheur.

Le médecin renifla avec insistance. Effrayée, Anaïs mit sa main devant sa bouche, et Mathieu tentait de prendre un air assuré. Sur la gauche de la grande salle, il n'y avait qu'une autre pièce, assez grande mais vide. Après en avoir fait le tour, Quentin et Rabelais revinrent dans la pièce principale, où ils trouvèrent Mathieu et Anaïs se tenant par la main, serrés l'un contre l'autre.

— Vous, restez ici pendant que nous visitons le reste de la maison, leur intima Quentin.

— S'il vous plaît, laissez-nous vous suivre, j'ai trop peur ici, les supplia Anaïs.

— Ne nous dispersons pas, acquiesça Rabelais.

Ils passèrent une petite porte voûtée sur la droite. Un escalier de pierre menait à l'étage. Ils le gravirent, Quentin en tête, la dague à la main. Ils visitèrent plusieurs pièces où ne subsistaient que des paillasses éventrées et quelques meubles cassés.

La bastide était occupée, les fleurs en témoignaient. Mais où pouvaient bien être ses habitants ? Ils n'avaient vu personne dans les champs environnants. Restait la partie inférieure du bâtiment, où devaient se trouver les celliers. Ce fut Mathieu qui découvrit l'escalier y menant. Il y faisait noir comme dans un four. Quentin alla chercher des bougies, battit le briquet et en tendit une à chacun.

— Restons groupés ! leur recommanda-t-il.

Au petit hoquet qu'émit Mathieu, il sut qu'il serait obéi.

Cette fois, ce fut une puissante odeur d'encens qui les prit à la gorge.

— Pratiquerait-on ici des embaumements ? s'interrogea Rabelais à voix basse.

Quentin lui enfonça son coude dans l'estomac, et le docteur se tut. Quelques souris, à moins que ce ne fussent des rats, leur passèrent entre les jambes, ce qui suscita chez Anaïs de petits cris d'effroi. Ils progressèrent lentement, jusqu'à ce qu'ils perçoivent une lueur dansante dans ce qui devait être un des derniers celliers. Redoublant de précautions, ils s'approchèrent.

Chiara reposait sur une table de pierre, les pans de sa robe tombant jusqu'à terre. Les yeux clos, pâle comme de la cire, elle tenait entre ses mains un bouquet d'asphodèles.

— Mon Dieu, s'écria Quentin en s'élançant vers elle. Elle est morte.

Une voix s'éleva dans l'ombre.

— Elle n'est pas morte.

Antoine Griot surgit devant eux, écartant les bras pour leur interdire de s'approcher. Quentin saisit sa dague. Griot avait les mains nues, et Quentin put voir les pustules révélant la vérole.

— Que lui avez-vous fait ? s'écria-t-il. L'avez-vous touchée ?

Griot le regarda, l'air égaré.

— C'est mon épouse. J'en ai le droit.

— Tu m'as trahi, espèce de cafard ! tonna Rabelais. Que le feu saint Antoine te brûle, que le haut mal te chavire, que le chancre te coure aux trousses, que la chiasse sanglante te vienne, que le feu vénérien t'entre dans le fondement et, comme Sodome et Gomorrhe, puisses-tu tomber en soufre, en feu et en abîme.

Nullement impressionné, Griot prit la main inerte de Chiara et la baisa avec douceur. Quentin en profita pour bondir sur lui et, d'un coup de poing, l'envoyer contre le mur. Griot se releva péniblement. Il ne semblait pas vouloir se battre. Sans doute se savait-il perdu. Son regard se tourna vers Chiara et des larmes coulèrent sur ses joues. Étonné de son peu de résistance mais s'attendant à quelque geste de folie, Quentin le menaçait de sa dague. Griot tendit les mains en signe de reddition. Mathieu remit à Quentin un morceau de corde à collet dont il ne se séparait jamais. Vu la passivité de Griot, cela suffirait pour le ramener jusqu'à Apt.

Rabelais s'était précipité vers Chiara et lui prenait le pouls.

— Son cœur bat. Faiblement. Ce salopiot a dû la droguer avec de l'opium. Il faut lui faire reprendre conscience.

Il lui effleura doucement les joues, fit remuer sa tête.

— Remontons-la, ordonna-t-il.

Quentin lui confia la garde de Griot. Il prit la jeune fille dans ses bras. Mathieu marchait le premier, suivi de Griot, tenu en respect par Rabelais, puis de Quentin et d'Anaïs, qui tenait la main de Chiara.

— Combien lui as-tu donné de grains? demanda Rabelais à Griot.

— Tout.

— Tu l'as peut-être tuée, imbécile!

— Nous allions nous marier. La cérémonie était prête. Elle a refusé, je l'ai enfermée. Et, comme elle regimbait, je l'ai calmée. Elle est si belle comme ça. Si douce! Comme Guillemette.

— N'en dis pas plus, ou je t'enfonce cette dague dans le cœur.

Quentin allongea Chiara à l'ombre dans la cour. L'air ne la ranima pas. Rabelais lui baigna les tempes d'eau fraîche puis envoya Mathieu et Anaïs chercher de la menthe. Ils revinrent avec une belle brassée.

— Il nous faudrait de la cannelle et du gingembre! Hélas, nous n'en trouverons pas ici.

— Redescendons à Apt.

La mort dans l'âme, ils reprirent le sentier jusqu'à Saignon, Quentin serrant Chiara contre lui. Dans le village, ils trouvèrent un charretier qui accepta de la descendre en ville. L'apothicaire fut de nouveau mis à contribution : il leur vendit à prix d'or une demi-once[1] de cannelle, ainsi qu'un peu de cardamome. Rabelais s'empressa d'en faire une tisane, dans laquelle il ajouta un peu de lavande et de romarin. Tous les quarts d'heure, il en faisait boire une gorgée à la jeune fille, en prenant garde qu'elle ne s'étouffe pas. Elle restait sans réaction. Régulièrement, il

---

1. 1 once = 30,594 grammes.

soulevait ses paupières et observait ses pupilles étré-cies.

Entendant un remue-ménage inhabituel, le Dr Sylvestre avait réussi à s'extraire de son fauteuil pour descendre l'escalier en chancelant. En voyant Antoine Griot, il s'exclama :

— Vous voyez! Je vous avais dit qu'il était venu me voir. Sois le bienvenu, mon garçon. Mais… pourquoi le menacez-vous d'un couteau? Vous avez bien caché votre jeu. Vous êtes les sbires de Jean de Roma, l'Inquisiteur. Vous voulez le torturer. Et cette jeune fille… Oh! mon Dieu! Guillemette! Tu es revenue de parmi les morts! Vous allez pouvoir vous marier.

Anaïs prit le vieillard par le bras et le raccompagna, tentant de lui expliquer que ce n'était pas la fiancée de Griot. Le vieil homme tempêta en disant qu'il n'était pas idiot et qu'il comptait bien assister à la noce.

## 29

Jour et nuit, ils se relayèrent auprès de Chiara pour lui faire boire le cordial concocté par Rabelais. De plus en plus inquiet, le médecin avait décrété que, si elle ne reprenait pas conscience très bientôt, il ne pourrait plus rien pour elle. Des cernes violets ombraient ses paupières et ses mains, devenues diaphanes, annonçaient la mort. Rabelais n'écrivait plus, Quentin partait seul dans la campagne et revenait avec des herbes sauvages qu'il remettait sans mot dire à Anaïs. Griot était enfermé à double tour dans une pièce totalement vide, hormis une paillasse. Ils avaient pris soin d'enlever tout objet qui lui aurait permis d'attenter à sa vie. Il refusait de se nourrir et demandait sans cesse des nouvelles de Chiara, les suppliant de le laisser la voir.

Les seules bonnes nouvelles venaient d'Aix. L'empereur et ses troupes avaient levé le camp, reprenant le chemin par où ils étaient venus, le long de la mer. Ils laissaient derrière eux, outre des morts en nombre infini, une multitude de malades. La moitié de l'armée impériale avait péri ou était hors d'état de porter les armes. Poursuivie avec fureur dans sa retraite par les paysans et par les chevau-légers de l'armée royale, elle avait subi encore de grandes pertes. Toutes les routes entre Aix et Fréjus étaient jonchées de cadavres d'hommes et de chevaux, de harnais et d'armes abandonnés, de mourants gisant pêle-mêle avec les morts.

Le matin du troisième jour, Chiara ouvrit péniblement les yeux. Mathieu, qui était auprès d'elle, appela toute la maisonnée. Rabelais annonça qu'elle était sauvée. Très affaiblie, la jeune fille avait grand-peine à parler. Son regard, empreint d'anxiété, allait de l'un à l'autre. Quentin comprit sa question muette.

— Ne t'inquiète pas, dit-il. Il ne te fera plus de mal.

Chiara esquissa un pâle sourire. Mathieu lui pressa doucement la main.

— Maintenant, il faut qu'elle reprenne des forces et qu'elle mange.

Mathieu bondit sur ses pieds en s'écriant :

— Je vais chercher un lapin.

— C'est une nourriture trop lourde pour une convalescente. L'idéal serait un lait de poule : un œuf mélangé à du lait et du miel.

— J'ai les œufs et le miel, mais je ne sais pas où nous pourrions trouver du lait, se lamenta Anaïs.

— Moi, je sais ! lança Mathieu en filant vers la porte.

Il revint une heure plus tard, traînant une chèvre récalcitrante qu'il conduisit à la cuisine où, faute de mieux, Anaïs battait un œuf avec du miel.

— Voilà le lait !

— Où as-tu trouvé cet animal?

— Dans un jardin.

— Le jardin de qui?

— Du curé.

— Tu l'as volée?

— Empruntée. J'irai la ramener quand Chiara sera sur pied.

Le lait de poule du Dr Rabelais, administré à haute dose, permit à la jeune fille de se rétablir rapidement. Dès qu'elle put accepter une nourriture solide, notamment le lapin, Mathieu reconduisit la chèvre chez son légitime propriétaire. Cela lui coûta, car il s'était attaché à l'animal. L'enfant des villes avait pris goût à la campagne et appréhendait le moment où il retrouverait les rues de Lyon, sales et puantes.

Afin qu'elle ne retombe pas en état de faiblesse, ils avaient caché à Chiara que Griot était enfermé dans la maison et avaient interdit l'accès de sa chambre au Dr Sylvestre : celui-ci tenait toujours à se préparer pour le mariage et exhortait Anaïs à leur cuisiner pour l'occasion du chevreau rôti et ses délicieux beignets de fleurs de sureau.

Mais, quand Chiara put se lever et qu'elle entendit les sanglots de Griot derrière une porte fermée, elle fut prise d'une terrible crise de violence. Elle courut à la cuisine, s'empara d'un long couteau et larda la porte de coups jusqu'à ce qu'elle s'affaisse, en larmes. Elle refusa d'entendre les explications de Quentin. Elle n'avait que faire de la nécessité de ramener Griot vivant pour qu'il avoue ses crimes, afin que Rabelais et Quentin soient lavés de tout soupçon. Elle voulait sa mort. Quentin et Rabelais se concertèrent. Le voyage allait être un enfer. La meilleure solution était de laisser Chiara à Apt pour qu'elle se remette doucement, et qu'eux prennent la route avec Griot. La jeune fille ne voulut pas en entendre parler. Elle tenait à assister au procès de son frère pour crier une fois de plus son innocence.

Toujours à l'affût des nouvelles de la guerre, Quentin avait appris que Charles Quint et les débris de sa redoutable armée avaient repassé le Var le 23 septembre, deux mois jour pour jour après leur entrée en France. On disait que l'empereur comptait regagner Gênes, puis s'embarquer pour Barcelone. Côté français, François I$^{er}$, qui s'était rendu au camp d'Avignon, était sur le point de le quitter, victorieux sans avoir livré bataille. Nul doute que, à son retour à Lyon, un de ses premiers actes serait de diligenter le procès de Sébastien.

Il était plus que temps pour eux de partir et de mettre fin à cette triste aventure. Secrètement, Quentin espérait arriver après le procès de Sébastien pour éviter à Chiara la douleur de voir son frère condamné et exécuté.

Il fut décidé qu'elle chevaucherait avec Rabelais et Mathieu, loin devant Quentin et Griot.

Anaïs eut beaucoup de peine à les voir partir. Elle avait même pardonné à Rabelais ses histoires crues et son parler leste. Le Dr Sylvestre s'affaiblissait de jour en jour et son avenir lui paraissait bien sombre. Mathieu eut aussi beaucoup de peine à s'arracher à la garrigue et à la chasse au lapin. Il dirait plus tard qu'il avait bien failli rester à Apt, mais voulait être aux côtés de Quentin pour affronter les difficultés qui ne manqueraient pas de surgir lors du voyage.

Ils se souhaitèrent mutuellement bonne chance.

## 30

Ils évitèrent Avignon, où l'on pouvait les reconnaître. Toujours recherchés, ils ne pouvaient prendre le risque de se faire arrêter si près du but. Ils passèrent donc par Sorgues et Carpentras. Le peu d'argent qui leur restait les obligea à fréquenter les pires auberges, au grand dam de Rabelais, qui sombra dans une profonde mélancolie. À peine avait-il droit à un fond de pichet de vin… Aussi commença-t-il à délaisser ses compagnons pour s'asseoir auprès d'inconnus et leur raconter sa guerre des Saucisses. La plupart du temps, cela lui valait plusieurs coups à boire, car il avait étoffé son histoire de nouvelles péripéties andouillesques.

Griot ne tenta jamais de leur fausser compagnie. Son humeur oscillait entre un grand abattement et une grande agitation. Résigné au sort qui lui serait fait, il se laissa aller à des confidences.

Sa vie avait basculé quand l'Inquisition s'était emparée de son frère Pierre, pour lequel il avait une grande affection. Barbier-chirurgien comme lui, et aspirant prédicateur, celui-ci avait été arrêté dans une ferme à Lourmarin, avec un petit sac de toile blanche contenant des livres. On lui avait demandé à qui ils appartenaient. Il n'avait pas voulu répondre. Posséder un livre était suspect. Ses accusateurs avaient raison de se méfier : Pierre revenait de Chanforan, où s'était tenue une réunion secrète durant laquelle les représentants des Vaudois avaient décidé d'adhérer à la Réforme.

Il y avait eu huit interrogatoires, et Pierre avait finalement avoué tout ce que l'Inquisiteur voulait : les itinéraires que suivaient les prédicateurs, les maisons qu'ils visitaient…

Épouvanté à l'idée que son frère allait être condamné, Antoine avait perdu la tête. Voulant oublier, il s'était enfui à Avignon et avait passé plusieurs jours avec des prostituées. Submergé par la honte, il était rentré à Apt et n'avait pas tardé à s'apercevoir qu'il portait les premiers signes de la vérole. Un juste châtiment qui l'obligeait à partir définitivement. Il n'eut pas le courage d'annoncer son départ à Guillemette, sa fiancée. Il ne s'était jamais pardonné cette lâcheté. Aussi, quand il avait vu Chiara, qui ressemblait étrangement à son amour perdu, il avait cru à une rédemption divine. Guillemette lui était redonnée et, cette fois, il ne la trahirait pas, il en ferait son épouse.

— Et la vérole ? l'interrogea Quentin. Vous saviez que vous pouviez la lui transmettre.

Griot le regarda avec surprise.

— Je ne l'ai et je ne l'aurais jamais touchée. Je ne lui voulais que du bien. Je me serais contenté de la regarder.

Quentin n'osa imaginer quel aurait été le terrible destin de Chiara s'ils n'étaient pas arrivés à temps. Sans doute Griot, perdu dans sa contemplation morbide, l'aurait-il laissée mourir.

— Et votre frère, qu'est-il devenu?

— Je savais qu'il lui était déjà arrivé de se cacher à La Molière. J'y suis allé. Il y était. Sa femme Jacotte avait accouché. L'enfant était chétif. Il n'a pas survécu. Jacotte non plus. Il venait de les enterrer. Il est parti rejoindre Eustache Marron. Je ne l'ai pas revu.

Quentin frissonna. La tombe qu'ils avaient découverte en arrivant était celle de la mère et de l'enfant. Alicia! Il aurait donné tout l'or du monde pour être à ses côtés, la voir sourire en allaitant leur enfant.

Voyant son émoi, Rabelais continua l'interrogatoire. Furieux de s'être laissé abuser, il le questionna rudement.

— Comment avez-vous pu me tromper ainsi?

— Je vous ai toujours été fidèle.

— Vous avez abusé vos malades.

— Jamais! Je les ai toujours soignés avec la plus grande dévotion.

— En étant malade vous-même!

— Je prenais des précautions.

— Et Mahaut la Ribaude? Ne vouliez-vous pas vous en servir, d'elle et de ses compagnes, pour diffuser la maladie?

Griot se troubla.

— J'avais perdu l'esprit. Les persécutions des Vaudois me rendaient fou. J'ai eu cette idée, je l'avoue. Je regrette d'avoir trompé Mahaut, qui me tenait en haute estime. Je lui ai menti en lui disant qu'elle était guérie. Mais je n'ai jamais mis ce plan en pratique. L'arrivée de Quentin du Mesnil m'a ouvert d'autres horizons. Empoisonner le nouveau Dauphin m'est apparu comme la solution pour faire souffrir le roi. Je ne pouvais rêver mieux. J'ai échoué, comme tout ce que j'entreprends.

Son ton plaintif exaspéra Quentin.

— Vous avez très bien réussi à assassiner Mahaut.

— Il le fallait. Quand je vous ai suivis à Avignon, je n'avais plus qu'une idée en tête : Chiara. L'épouser pour que tout redevienne comme avant. Vous m'en auriez empêché si Mahaut avait pu vous parler.

— Vous n'avez eu aucune pitié pour elle.

— Vous n'en auriez pas eu pour moi. Je tiens trop à Chiara. Mon cœur saigne de la voir s'éloigner de moi. J'aimerais tant la serrer dans mes bras. Dites-lui que j'ai agi par amour.

— N'y comptez pas ! Et, pour finir, c'est vous qui avez écrit la lettre anonyme au roi me dénonçant.

— Je ne pouvais pas faire autrement. Chiara vous faisait les yeux doux, recherchait toujours votre présence. Ça me rendait malade. Vous auriez fini par céder…

— Pauvre fou, laissa tomber Quentin. Ne parlez plus jamais d'amour. J'espère que vous aurez le courage d'avouer devant le roi ce que vous avez fait.

Griot haussa les épaules.

— Ma vie s'achève. J'ai tout perdu. Je vais mourir de la vérole. Je ferai ce que vous voudrez.

Quentin et Rabelais en débattirent et tombèrent d'accord : il avait l'air sincère. Il n'était qu'à moitié fou. Sans le douloureux destin de son frère, sans doute aurait-il eu une vie normale. Il aurait été un bon mari et un bon père. Il aurait exercé son métier de barbier-chirurgien avec bienveillance. La persécution des siens l'avait fait dériver vers de chimériques vengeances.

— Voilà ce qui arrive, ajouta Rabelais, quand les hommes sont écrasés et asservis par une vile sujétion. Ils se détournent du noble sentiment qui les inclinait librement vers la vertu, car nous entreprenons toujours les choses défendues et convoitons ce qui nous est refusé.

Pendant une journée entière, il chevaucha en silence, laissant Mathieu distraire Chiara. Le soir, à l'auberge du Bœuf, où ils durent se contenter d'un abominable brouet de nerfs et de tendons ayant certainement appartenu à un bœuf de cent ans d'âge, il leur fit part de sa dernière création littéraire décrivant un lieu idéal, où les hommes vivraient en harmonie et où régnerait le véritable amour : l'abbaye de Thélème. Pour une fois, tous furent attentifs.

— En voici les statuts. Toute leur vie était dirigée non par les lois, statuts ou règles, mais selon leur volonté et leur libre arbitre. Ils sortaient du lit quand bon leur semblait, buvaient, mangeaient, travaillaient, dormaient quand le désir leur en venait. Nul ne les éveillait, nul ne les forçait ni à boire, ni à manger, ni à faire quoi que ce soit… Toute leur règle tenait en cette clause : «FAIS CE QUE VOUDRAS», car des êtres libres, bien nés, bien instruits, vivant en honnête compagnie, ont naturellement un instinct, un aiguillon qu'ils appellent honneur, et qui les pousse toujours à agir vertueusement et les éloigne du vice. Grâce à cette liberté, ils rivalisèrent d'efforts pour faire, tous, ce qu'ils voyaient plaire à un seul. Si l'un ou l'une disait : «Buvons», tous buvaient. S'il disait : «Jouons», tous jouaient. S'il disait : «Allons nous ébattre dans les champs», tous y allaient.

Ils étaient si bien éduqués qu'il n'y avait aucun ni aucune d'entre eux qui ne sût lire, écrire, chanter, jouer d'instruments harmonieux, parler cinq à six langues et s'en servir pour composer en vers aussi bien qu'en prose. Jamais on ne vit de chevaliers si preux, si nobles, si habiles à pied et à cheval, si vigoureux, si vifs et maniant si bien toutes les armes. Jamais on ne vit de dames si élégantes, si mignonnes, moins ennuyeuses. Quand le temps était venu pour l'un des habitants de cette abbaye d'en sortir, il emmenait avec lui une des dames, celle qui l'avait choisi pour chevalier servant, et ils étaient mariés ensemble. Et s'ils avaient bien vécu à Thélème en affectueuse amitié, ils cultivaient encore mieux cette vertu dans le mariage; aussi s'aimaient-ils à la fin de leurs jours comme au premier de leurs noces.

Cette évocation du bonheur conjugal émut Quentin. Sa décision était prise. Dès son honneur retrouvé, il quitterait à jamais le service du roi et rejoindrait Alicia. Le temps des faux-semblants et des fausses espérances était bel et bien fini.

## 31

La petite troupe avait l'intention de se rendre directement à l'abbaye d'Ainay, où séjournaient le roi et la cour. Une fois sur place, Quentin se faisait fort d'obtenir une audience. Ses liens avec François étaient assez puissants pour qu'il l'écoute se justifier. Sa crainte était de tomber sur des sous-fifres obtus qui les arrêteraient, les mettraient en prison où ils croupiraient un temps indéterminé. Leurs habits de paysans étaient un excellent camouflage. Chiara, elle aussi, portait les vêtements que lui avait donnés Anaïs. Seul Griot conservait sa robe noire de barbier-chirurgien. On cherchait deux hommes d'âge moyen. La présence d'un gamin, d'une jeune fille et d'un autre homme brouillait les pistes.

Ils arrivèrent à Lyon sans encombre. L'agitation qui régnait en ville les alerta. Ils pensèrent d'abord que des fêtes se préparaient pour saluer la victoire du roi. En passant place Grenette, ils avaient vu des menuisiers dresser une grande estrade. Après la célébration d'un *Te Deum*, il y aurait certainement un cortège triomphal où se mêleraient notables et clergé.

Quentin se sentait soulagé. Ses épreuves étaient sur le point de prendre fin. Il ne doutait pas un instant que, après les aveux de Griot, François reconnaîtrait son innocence. Le roi le tancerait vertement pour lui avoir caché la tentative d'empoisonnement du Dauphin, mais cela n'avait plus d'importance. Ce serait la raison qu'invoquerait Quentin pour se démettre de ses fonctions. Une offre que François ne pourrait refuser. Et Quentin resterait à Lyon jusqu'à ce que le procès de Sébastien ait eu lieu. L'épreuve serait atroce pour Chiara. Quentin avait décidé d'emmener la jeune fille avec lui en Normandie. Elle trouverait sa place au manoir des Du Mesnil et pourrait y rester autant qu'elle le souhaiterait.

Rabelais ne se tenait plus de joie d'être de retour à Lyon. Il avait de quoi, disait-il, écrire un nouveau livre, qu'il signerait cette fois de son nom. Il ne serait certainement pas repris à l'Hôtel-Dieu, mais il n'en avait cure. «J'en ai soupé, des vérolés!» Et quand le roi serait convaincu qu'il n'avait fait que son devoir, il retournerait auprès de son protecteur le cardinal du Bellay et lui demanderait de lui trouver une sinécure où il pourrait travailler en paix pour la postérité.

Mathieu avançait la tête basse. Sa belle aventure se terminait, et il se retrouverait tout seul, sans Anaïs, sans Chiara, sans Quentin, et sans le Dr Rabelais.

Fantomatique, Antoine Griot avait cessé de parler. Il ne pouvait s'empêcher de lancer des regards suppliants vers Chiara qui, quand elle s'en apercevait, se cachait derrière Quentin.

Au coin de la rue Mercière, un garçon du même âge que Mathieu se planta devant lui :

— Ça alors! L'empoisonneur! Je te croyais en prison. Tu viens assister à l'exécution de l'Italien? Vous vous tiendrez la main, entre assassins?

Quentin attrapa le gamin par le bras.

— Qu'est-ce que tu racontes? Quelle exécution?

— Le Montecuculli, pardi! Son procès a commencé. Tout est prêt pour qu'il soit écartelé cet après-midi. Lâchez-moi!

Chiara avait tout entendu. Elle agrippa Quentin, qui libéra le gamin.

— Ce sont des empoisonneurs! hurla-t-il. Ils sont recherchés par la police du roi. Ils veulent sa mort.

Des gens s'arrêtèrent, les regardèrent. Un homme vint vers eux, menaçant. Rabelais attrapa Griot par le coude, Quentin fit de même avec Chiara, et tous partirent en courant, Mathieu en tête. Derrière eux, on criait: «Arrêtez-les!» Leurs poursuivants, gênés par la foule, progressaient moins vite. Mathieu leur fit signe de tourner à gauche dans une ruelle heureusement déserte. Il s'arrêta devant une porte basse, actionna la poignée et les fit tous entrer. Un sombre passage s'ouvrait devant eux.

— Avancez, murmura Mathieu.

L'endroit était si étroit que Rabelais et Quentin devaient aller de profil. Quand ils eurent franchi deux arches branlantes, le passage s'élargit. Ils s'arrêtèrent pour reprendre leur souffle.

— En continuant, nous arriverons près du Rhône, expliqua Mathieu. Nous n'aurons plus beaucoup de chemin à faire pour atteindre l'abbaye d'Ainay.

Secouée de spasmes nerveux, Chiara se laissa aller à terre.

— Sébastien ! Il faut sauver Sébastien…

Quentin s'agenouilla à ses côtés.

— Il est malheureusement trop tard.

— Comment osez-vous dire ça ? C'est mon frère. Il va mourir…

Elle le frappa de toutes ses pauvres forces. À son tour, Rabelais se pencha vers elle en disant :

— Frappe, mon petit. Laisse s'écouler ta colère et ta peine.

Appuyé contre un mur, Griot les regardait, une étrange lueur dans les yeux.

— Chiara…, dit-il d'une voix sourde. Pour l'amour de toi, je vais le sauver.

Il partit en courant. En se relevant, Quentin et Rabelais se heurtèrent, barrant le passage à Mathieu qui se lançait à sa poursuite. Déjà, le bruit de la course effrénée de Griot s'estompait.

— Connard de cocu du diable ! s'écria Rabelais. Il nous a bien eus. Il a pris la poudre d'escampette, et nous voilà refaits.

— Je crois qu'il disait vrai, murmura Quentin. Il va tenter quelque chose.

— Mais quoi ? s'énerva Rabelais. Il ne peut rien faire.

— Quelque folie au tribunal… Il faut le retrouver. Où a lieu le procès ?

Les regards se tournèrent vers Mathieu.

— Je n'en sais rien, mais nous l'apprendrons vite. Suivez-moi.

La foule les poussait vers le couvent des Célestins. Tenant à ce que le procès se déroule dans une grande solennité, le roi y avait convoqué la famille royale, les princes du sang, les chevaliers de l'Ordre, le légat et le nonce du pape, les ambassadeurs d'Angleterre, d'Écosse, du Portugal, de Venise et tous les seigneurs français, italiens, allemands de la cour, sans compter les corps constitués et les notables lyonnais. Seul le couvent des Célestins pouvait contenir autant de monde.

Quentin était très inquiet. Il était connu de la grande majorité des personnes qui seraient présentes. À tout moment, il pouvait se faire arrêter. Ayant rabattu son chapeau informe sur son front, il avançait en regardant le sol. Vêtus comme ils l'étaient, ils n'avaient aucune chance de pénétrer dans le couvent. Il leur fallait trouver une ruse. En levant la tête, Quentin vit arriver une litière d'où descendit Marguerite, la sœur du roi. Marguerite, sa Marguerite! La plus loyale et la plus courageuse des femmes. On voyait à son visage fermé qu'elle ne prisait guère d'être là. François avait dû exiger sa présence. S'il se mettait sous sa protection, Quentin pourrait pénétrer dans la salle d'audience. Il tenta de s'approcher et l'appela haut et fort, mais le grondement de la foule couvrit sa voix. Il joua des coudes, parvint jusqu'à la rangée d'hommes en armes qui gardaient l'entrée et le repoussèrent sans ménagement. Marguerite disparut à l'intérieur du couvent. Rabelais, qui le suivait de près, le tira par le bras et lui montra Champier, la mine grave, qui arrivait à pied. D'une voix de stentor, il le héla. Champier se tourna vers eux.

— Que faites-vous là? Vous êtes rech…

— Oui, nous sommes au courant, le coupa Quentin. Faites-nous entrer, par pitié !

Champier n'hésita qu'un bref instant et ordonna aux gardes de les laisser passer. Il découvrit dans leur sillage Chiara et Mathieu se tenant la main. Il interrogea Quentin du regard.

— Nous vous expliquerons plus tard, dit ce dernier.

— Vous avez intérêt. Je n'ai jamais cru à votre culpabilité, mais il va falloir vous montrer convaincant.

La salle du chapitre était pleine à craquer. Quentin aperçut le roi et son entourage assis au premier rang. Il joua des coudes pour se frayer un passage parmi les gens debout. Nulle trace de Griot. Avait-il réussi à entrer ? Son habit de barbier-chirurgien avait dû l'y aider.

Ses compagnons avaient suivi Quentin. Frémissante d'anxiété, Chiara s'appuya contre lui.

Porté par deux gardes, Sébastien fit son entrée. Il n'était plus que l'ombre de lui-même, n'ayant que la peau sur les os, le visage ravagé par la souffrance. Chiara laissa échapper un petit cri. Rabelais passa un bras autour de sa taille pour la soutenir. Les juges entrèrent à leur tour et s'installèrent sur leurs sièges d'apparat. Le roi leur fit signe. L'un d'eux se leva, une feuille à la main, et commença à lire d'une voix solennelle.

— Au vu des interrogatoires, confessions, confrontations, délivrés sur les poisons écrits de la main dudit Sebastiano, visitation, rapports et avis des médecins, chirurgiens, barbiers et apothicaires, le procureur général du roi a conclu que Sebastiano de Montecuculli est convaincu d'avoir empoisonné feu François, dauphin de Viennois, duc propriétaire de Bretagne, fils aîné du roi, avec de la poudre d'arsenic sublimé, mise par lui dans un vase de terre rouge, et convaincu d'être venu en France exprès avec le propos délibéré d'empoisonner le roi.

Des murmures de satisfaction se firent entendre. Chiara se boucha les oreilles.

Un remue-ménage se fit dans les rangs du public. Une longue silhouette noire se dressa dans l'allée centrale. Le juge s'interrompit.

— C'est moi! s'écria Griot. Je suis l'auteur de ce crime. Montecuculli n'y est pour rien.

— Taisez-vous, le tança le juge. Nous n'accepterons aucun désordre dans cette salle.

— C'est moi qui ai mis le sublimé d'arsenic dans l'eau. Je suis barbier-chirurgien. Je sais comment faire.

Stupéfait, le public regardait l'étrange personnage s'avancer vers les juges. Chiara s'était redressée, prise d'un espoir fou. Quentin et Rabelais se regardèrent. En s'accusant du soi-disant empoisonnement du Dauphin, Griot faisait un cadeau d'adieu à celle qu'il aimait.

— Je suis aussi l'auteur de la tentative d'empoisonnement du dauphin Henri. Quentin du Mesnil et le Dr Rabelais n'y sont pour rien. J'ai aussi assassiné une prostituée qui voulait me dénoncer, au camp d'Avignon.

Le silence était total. Quentin vit le roi se pencher vers le cardinal de Tournon et lui murmurer quelques mots à l'oreille. Interloqués, les juges ne savaient comment réagir. Un tel coup de théâtre, en présence du roi, les prenait de court.

Mais le cardinal de Tournon reprit les choses en main.

— Les faits concernant la mort du Dauphin sont parfaitement établis. La culpabilité de Montecuculli est prouvée. Il a avoué son crime, perpétré sur ordre de l'empereur Charles Quint. Je ne sais ce qui pousse cet homme à s'accuser, mais nous n'en tiendrons pas compte. Concernant les autres forfaits dont il dit être l'auteur, nous investiguerons. Gardes, saisissez-vous de lui. Monsieur le juge, je vous invite à donner lecture du verdict concernant Montecuculli.

Griot fut emmené. Quentin ne put s'empêcher d'éprouver un immense soulagement : Tournon, donc le roi, prenait en compte l'aveu de Griot les innocentant. Il voulut entraîner Chiara au-dehors, afin qu'elle n'entende pas ce qui allait suivre. Elle se raidit en disant que, pour l'honneur de sa famille, elle saurait se montrer brave.

Le juge reprit sa place devant le public et énonça :

— Pour réparation de ses crimes, Sebastiano de Montecuculli est condamné à être traîné sur une claie de la prison jusque sur la place devant l'église Saint-Jean, puis auquel lieu étant en chemise, tête nue et pieds nus, tenant en ses mains une torche allumée, il criera pitié et pardon à Dieu, au roi et à la Justice, et de là sera conduit jusqu'à la Grenette, où en sa présence seront brûlés publiquement les poisons d'arsenic et de réalgar qui ont été trouvés chez lui avec le vase rouge où il a mis les poisons, et sera tiré et démembré à quatre chevaux, et ensuite les quatre quartiers de son corps seront pendus aux quatre portes de Lyon et sa tête fichée au bout d'une lance sera posée sur le pont du Rhône.

Chiara s'évanouit dans les bras de Quentin.

## 32

L'exécution aurait lieu le jour même, en fin d'après-midi. Des applaudissements fournis saluèrent cette décision. Toujours évanouie, Chiara ne put les entendre. Quentin demanda à Rabelais de l'emmener chez lui, rue Dubois, et de faire en sorte qu'elle ne ressorte pas. Il les rejoindrait dès qu'il aurait vu le roi. Il se fraya un chemin jusqu'au souverain, sous les regards étonnés de ceux qui le connaissaient. Antoine de Plessis fit un geste pour l'arrêter, mais il écarta son bras.

Marguerite, le visage toujours aussi fermé, se tenait aux côtés de François.

— Tu ne peux pas m'obliger à assister à une telle horreur, lui disait-elle d'une voix où perçait la colère.

— J'y tiens. C'est un ordre.

Marguerite se détourna de lui et vit Quentin. Elle mit un bref instant à le reconnaître dans ses pauvres vêtements. Son visage s'illumina, et elle le prit dans ses bras.

— Quentin ! C'est donc vrai, ce qu'a dit cet homme ? C'est lui qui a tenté d'empoisonner Henri ?

— Du Mesnil! s'exclama le roi. Tu arrives à point nommé. Tu n'as pas peur de partager le supplice de ton ami Sébastien?

— Sire, je suis l'ami de Sébastien et je regrette cette effroyable sentence. Si Antoine Griot ment en ce qui concerne la mort du Dauphin, il dit vrai pour le reste.

— Tu confirmes donc que Montecuculli est coupable, triompha le roi.

Quentin ne répondit pas. Plus rien ne pouvait sauver Sébastien. Affirmer une fois de plus qu'il n'y avait pas eu empoisonnement ne servirait à rien. Peut-être, un jour, reconnaîtrait-on que le pauvre Dauphin était mort de mort naturelle[1]. Quentin devait sauver sa peau et celle de Rabelais.

Les yeux étincelants de colère, Marguerite se tourna vers son frère.

— Comment peux-tu douter de Quentin? Oublierais-tu qu'il t'a toujours servi avec fidélité et dévouement?

Les sourcils froncés, le roi regardait au loin comme si ce que disait Marguerite ne le touchait pas.

N'y tenant plus, Quentin posa la question qui le taraudait depuis son arrivée à Lyon:

— Alicia? Avez-vous des nouvelles?

— Bête que je suis! s'exclama Marguerite. Je ne te disais rien! Alicia a accouché d'un fils. La mère et l'enfant se portent bien, lui murmura-t-elle. Ta sœur Mathilde est auprès d'eux.

— Dieu soit loué! Quel que soit le sort qui me sera réservé, je vous adjure, sire, d'épargner ma famille.

---

1. Il est fort probable que le Dauphin soit mort de pleurésie.

— Je me réjouis de cette naissance, affirma le roi d'un ton qui disait le contraire. Je m'apprêtais à prononcer ton bannissement et à te déchoir de tes titres. Tu vas devoir t'expliquer.

Alors que le cardinal de Tournon et le chancelier du Bourg invitaient le roi à quitter la salle pour retourner à l'abbaye d'Ainay, François leur signifia qu'il avait une affaire à régler. Quelques courtisans restèrent à proximité du souverain, curieux de savoir quel serait le châtiment infligé à Quentin du Mesnil. François leur fit signe de s'éloigner.

Le petit clignement qui agitait l'œil droit du roi trahissait sa colère. Quentin savait qu'il jouerait sa vie dans les minutes à venir. Il s'exhorta au calme, regarda Marguerite qui lui sourit avec confiance et se lança dans le récit des dernières semaines. Il conclut en disant :

— Jamais je n'aurais pu m'attaquer à vos enfants, quels que soient les différends que nous avons pu avoir.

— D'autres proches m'ont trahi, répliqua François d'un ton amer. Ne pas me prévenir qu'on avait attenté à la vie du dauphin Henri s'apparente à une trahison.

— C'est là ma faute, admit Quentin. J'ai eu peur. Puis, je me suis dit que je démasquerais le coupable.

— C'est ce que tu as fait, ajouta Marguerite avec bienveillance. Cet homme est fou !

— En vertu des liens qui nous unissent depuis l'enfance, tu ne passeras pas en jugement. Marguerite ne me le pardonnerait pas. Mais je te retire ma confiance et tu comprendras que, désormais, tu n'as plus ta place à la cour.

— Sire, je me démets de mes fonctions dès aujourd'hui. Je vous demande juste d'accepter que mes enfants ne portent pas ma faute et puissent entrer à votre service quand vous le jugerez bon.

— N'aie crainte, j'y veillerai, déclara Marguerite.

Son frère lui lança un regard noir.

— Messire du Mesnil, vous êtes libre de rejoindre votre famille.

Le vouvoiement employé par le roi signifiait la fin de leur amitié.

Il fit quelques pas, s'arrêta et se retourna vers Quentin.

— En guise de châtiment, vous assisterez avec nous à l'exécution de Montecuculli. Et dites au Dr Rabelais de continuer à nous amuser.


Dans le court laps de temps qui séparait son entretien avec François de l'exécution de Sébastien, Quentin s'était rendu chez Rabelais. À la vue de son visage défait, le médecin avait cru que le roi n'avait pas accordé son pardon.

— On te laisse libre…

— Ne vous inquiétez pas. Nous ne serons pas poursuivis.

— À tout moment, je m'attendais à voir arriver des gardes qui se saisiraient de moi. Réjouissons-nous ! Nous l'avons échappé belle. Qu'est-ce qui te rend si morose ? L'idée de quitter le service du roi ? Pourtant, tu disais que tout cela était derrière toi et qu'une nouvelle vie s'offrait à toi.

Baissant la voix, Quentin lui raconta l'entrevue et, surtout, l'abominable épreuve qui l'attendait : assister au supplice de Sébastien.

— Dis-toi qu'il va souffrir plus que toi...

Quentin chancela.

— Chiara ne doit pas savoir.

— Elle sait déjà. Dans les rues, tout le monde ne parle que de ça. Les fenêtres donnant sur la place ont été louées à prix d'or pour mieux voir le spectacle.

— Comment peut-on trouver du plaisir à voir mourir un homme ?

— Brûlez, tenaillez, cisaillez, noyez, pendez, empalez, brisez, démembrez, étripez, découpez, fricassez, grillez, coupez en tranches, crucifiez, faites bouillir, écrabouillez, écartelez, mettez en pièces, disloquez, mettez en grillades... Voilà qui est aimable. L'homme est ainsi fait. La cruauté a encore un bel avenir !

Rabelais lui prêta quelques vêtements dans lesquels il flottait. Sébastien n'aurait pas manqué de le féliciter d'avoir retrouvé sa taille de jeune homme. Rabelais et Quentin s'étreignirent longuement. Tous deux avaient les larmes aux yeux.

Quentin passa l'heure précédant l'exécution à l'église Saint-Nizier. Il pria pour l'âme de Sébastien mais, très vite, la colère remplaça la piété. Comment Dieu pouvait-il laisser faire cette ignominie ? Que lui apportait le sacrifice d'un innocent ? Comment croire à son amour et à son pardon ? Quel châtiment infligerait-il au roi de France, coupable de cette mise à mort? Le droit de paraître encore plus victorieux.

Empreint d'une profonde amertume, Quentin se releva et prit le chemin de la place Grenette, où l'estrade décorée avec soin était prête à accueillir le roi, la reine, Marguerite, la famille royale, les membres de la cour. Vêtus de leurs plus beaux atours, ils prenaient place sur les chaises installées comme pour une pièce de théâtre. Certains montraient de la gêne, mais la plupart manifestaient leur excitation en riant fort. Quentin vit arriver Marguerite, habillée de noir. Pour la première fois, il remarqua les rides qui striaient son front. Ils échangèrent un long regard douloureux, et elle prit place à la gauche du roi. La reine Éléonore était à la droite de son époux. On voyait à son visage qu'elle aussi aurait préféré se trouver à mille lieues de là. Souriant et gaillard, François échangeait des plaisanteries avec des proches. Le cœur de Quentin se serra.

Ne voulant partager aucun des commentaires des courtisans, il resta debout.

La place était noire de monde. Une clameur jaillit, annonçant l'arrivée du condamné. La foule se fendit pour laisser passer Sébastien, entouré de quatre dominicains en robe blanche, lui présentant le crucifix. Des insultes fusèrent. Sébastien, malgré sa grande faiblesse, tentait de marcher d'un pas assuré. Quatre chevaux le suivaient. Un petit bûcher avait été allumé. Des livres et des objets y furent jetés sous les hurlements de la foule. Puis, Sébastien fut solidement attaché à la claie. Quentin put le voir. Les yeux fermés, il récitait une prière. Les chevaux furent positionnés pour tirer la claie. La foule se tut. Le bourreau donna l'ordre aux bêtes de se mettre en mouvement. Un des chevaux renâclait, ne voulait pas avancer... La foule hurlait des injures. Le roi restait impassible mais Marguerite, ne supportant pas le spectacle, cacha son visage dans le pourpoint de son frère. Quentin se força à regarder l'ignoble scène, les poings serrés, la tête en feu.

Son ami était parti pour un monde meilleur, du moins l'espérait-il.

Les invités quittaient l'estrade, certains pâles et choqués, d'autres fringants et pressés d'aller souper. C'est alors que le peuple se jeta sur la pauvre dépouille de Sébastien. Ils entreprirent de le déchiqueter, même les petits enfants. Ils ne lui laissèrent pas un poil de barbe, lui coupèrent le nez, lui tirèrent les yeux hors de la tête et, à grands coups de pierre, lui rompirent les dents et les mâchoires.

Bousculant tout le monde, Quentin s'enfuit en courant.

# Épilogue

Un brouillard d'automne couvrait la ville. La chaleur n'était plus qu'un lointain souvenir. Leur longue chevauchée en serait facilitée. Sellés et chargés, les chevaux attendaient patiemment devant la maison du Dr Rabelais.

Après l'exécution, Quentin s'était réfugié chez lui. Quand il l'avait vu arriver, hagard, tremblant de tous ses membres, le médecin l'avait fait allonger et lui avait préparé une boisson cordiale. Chiara était arrivée en courant, mais il n'avait pu prononcer un seul mot. La jeune fille ne s'était pas effondrée, comme le craignait Rabelais. Elle était restée auprès de Quentin, le temps qu'il retrouve ses esprits. Elle ne lui avait posé aucune question. Mathieu avait apporté du vin et des verres. Rabelais l'avait félicité pour cette heureuse initiative. Ils avaient bu et pleuré toute la nuit.

Le lendemain, n'ayant aucune intention de se montrer à la cour, Quentin écrivit une longue lettre qu'il fit porter à Marguerite. Ce fut le dernier travail de coursier de Mathieu. Ou plutôt l'avant-dernier, car il lui restait à remettre un pli à Thomas Gadagne, disant que Quentin du Mesnil le prenait à son service et l'emmenait en Normandie. Le gamin était fou de joie. Il avait hâte de faire connaissance avec les vaches normandes, les forêts profondes, les rivières à truites. Un autre courrier était parti, pour Anaïs. Quentin lui proposait de venir les rejoindre quand le Dr Sylvestre aurait remis son âme à Dieu. Le manoir des Du Mesnil serait sa nouvelle maison, et si le thym et le romarin sauvages n'y poussaient pas, Quentin entendait bien lui aménager un jardin de plantes aromatiques.

Chiara avait accepté sans mot dire de suivre Quentin. Il était très inquiet à son sujet. Elle parlait peu, mangeait à peine, et son regard lointain disait toute sa douleur. Rabelais le rassura en disant que le temps du deuil serait long mais que le sang vif de la jeunesse aurait raison de la langueur.

Le médecin était lui aussi sur le départ. Il n'avait plus rien à faire à Lyon. Son protecteur, le cardinal du Bellay, avait répondu favorablement à son appel. Il irait à l'abbaye de Saint-Maur, où il serait nommé chanoine. Quentin n'avait aucun regret de quitter la cour de France. Il avait hâte de serrer dans ses bras Alicia, les enfants et le nouveau-né. Il imaginait leur joie quand il leur annoncerait qu'il ne repartirait pas. Une nouvelle vie commençait, loin des guerres et des vilénies de ce siècle. Le domaine était prospère et lui assurerait une confortable aisance. Sous la houlette d'Alicia, il apprendrait à négocier le lin et la laine au meilleur prix auprès des marchands de Louviers et de Rouen. Peut-être, comme son père, se prendrait-il de passion pour la plantation d'arbres fruitiers. Plus certainement, il nouerait des liens avec les navigateurs d'Honfleur et du Havre qui cinglaient vers le Nouveau Monde et rapportaient de leurs voyages d'étonnantes curiosités. Bien des merveilles l'attendaient encore.

Avec émotion, il remercia Rabelais.

— Sans vous, je me serais enferré dans mes chimères. Vous m'avez fait comprendre qu'il n'y a de malédictions que celles auxquelles on veut bien croire. Un jour, s'il vous en dit, venez au manoir du Mesnil. J'y ferai inscrire la devise : « Fais ce que voudras. »

Rabelais le prit dans ses bras.

— Couillon, mon ami, tu oublies le plus important.

Quentin le regarda en souriant.

— Redites-le-moi…

— Vivez joyeux !

## CARNET DE RECETTES
## DE BARTOLOMEO SCAPPI (OPERA, 1570)

Les recettes anciennes ne mentionnant jamais les proportions ni, bien entendu, les temps de cuisson, je les expérimente et les écris de manière contemporaine. Les cuisiniers et cuisinières qui voudront s'y essayer sont libres d'adapter les dosages d'épices à leur propre goût.

### Potage au persil
*Pour 4 personnes*

*1 l de bouillon de viande (pot-au-feu ou poule au pot, par exemple), 100 g de poitrine de porc, 200 g de filets de poulet, ½ bouquet de persil, ¼ bouquet de coriandre, ½ cc de cannelle, sel et poivre, 10 cl de verjus.*

*En option : 50 g de parmesan râpé, 2 œufs.*

Couper la poitrine et le poulet en petits morceaux et faire revenir à la poêle jusqu'à ce qu'ils soient cuits et dorés. Hacher persil et coriandre. Faire chauffer le bouillon de viande. Au moment de servir, ajouter au bouillon les herbes et la viande.

Pour un potage encore plus riche, ajouter parmesan râpé et œufs battus.

### Potage d'oignons et poireaux
*Pour 4 personnes*

*6 poireaux, 500 g d'oignons doux, 1 l d'eau, 1 l de lait d'amandes, ½ cc de cannelle, 5 filaments de safran, un peu de persil haché, 2 œufs, 50 g de parmesan râpé, sel et poivre, huile d'olive.*

Faire cuire les oignons émincés et le blanc des poireaux coupé en morceaux dans 1 l d'eau bouillante salée. Égoutter soigneusement et faire revenir dans une poêle avec l'huile d'olive. Mettre dans une casserole, avec le lait d'amandes. Faire chauffer. Ajouter les épices, les œufs battus et le parmesan. Bien mélanger et servir.

### Potage de courges
*Pour 4 personnes*

*2 kg de potimarron bio, 1 cs d'huile d'olive, 100 g de jambon cru, 50 cl de bouillon de volaille, 1,5 litre d'eau, 4 cs de verjus (ou de groseilles à maquereaux, ou de vinaigre de cidre), 1 cs de persil haché, 1 cs de coriandre hachée, ⅓ de cc de cannelle en poudre, 10 filaments de safran, sel et poivre.*

Couper le potimarron en deux, ôter les graines, sans l'éplucher ; le couper en morceaux. Faire revenir dans un faitout avec l'huile d'olive. Ajouter le bouillon et l'eau. Faire cuire une vingtaine de minutes. Avant de servir, ajouter les épices, le verjus et le jambon coupé en morceaux.

### Tourte de blettes
*Pour 6 personnes*

*Pâte brisée : 500 g de farine, 250 g de beurre, 100 g de sucre, 4 jaunes d'œufs, sel, eau de rose.*

*Appareil : 400 g d'épinards, 400 g de blettes, 1 boule de mozzarella, 250 g de ricotta, 100 g de parmesan, 50 g de beurre, 3 œufs, ½ cc de cannelle, sel et poivre.*

Préparer deux abaisses de pâte. Faire revenir les épinards et les blettes coupés en morceaux dans le beurre pendant 10 min. Mélanger avec la mozzarella émiettée, la ricotta, les œufs, la cannelle, le sel et le poivre. Mettre ce mélange sur la première abaisse et recouvrir de la seconde. Bien souder les bords et faire un petit trou au centre. Cuire au four (th. 7, 220°) 30 à 40 min.

### Tourte d'asperges
*Pour 6 personnes*

*1 fond de tarte brisée, 1,5 kg d'asperges vertes et blanches, 1 boule de mozzarella, 50 g de parmesan, 25 g de beurre, 2 cs de persil et de menthe hachés, 40 g de raisins secs, poivre et sel.*

Faire cuire les asperges à l'eau bouillante avec du sel 10 min. Les égoutter soigneusement. Les couper en petits morceaux, puis les faire revenir à la poêle avec du beurre quelques minutes. Laisser refroidir. Mélanger la mozzarella coupée en petits morceaux, les herbes, les asperges, le parmesan, le sel et le poivre. Mettre le mélange sur la pâte à tarte et faire cuire au four (th. 7, 220°) 35 à 40 min.

### Tourte d'endives
*Pour 6 personnes*

*1 fond de tarte brisée, 1 kg d'endives, 25 g de beurre, 80 g de parmesan râpé, 1 boule de mozzarella, 2 œufs, environ 1 cm de gingembre, sel et poivre.*

Ôter les premières feuilles des endives et les couper en deux. Les faire cuire 10 min dans de l'eau bouillante salée.

Les égoutter soigneusement, puis les hacher finement. Mélanger le parmesan râpé et la mozzarella coupée en morceaux, les œufs, le poivre et le gingembre broyé. Préchauffer le four (th. 6, 200°). Faire sauter les endives dans le beurre quelques minutes. Ajouter le mélange œufs-fromage-épices. Poivrer et saler. Garnir le fond de tarte avec ce mélange et faire cuire 20 min.

### Huîtres au beurre d'orange
*Pour 4 personnes*

*24 huîtres, le jus d'une orange, le jus d'½ citron, le zeste d'1 citron, 30 g de beurre, 1 cs d'huile d'olive, sel et poivre.*

Ouvrir les huîtres et les mettre dans une casserole avec leur eau. Garder une coquille par huître. Faire pocher les huîtres 1 min. Les remettre dans leurs coquilles. Dans une casserole, mettre à feu doux le beurre, l'huile, les jus de citron et d'orange, le zeste de citron, le sel et le poivre. Faire réduire 5 min. Napper les huîtres avec la sauce et servir.

### Petits pâtés de grenouilles
*Pour 4 personnes*

*1 fond de pâte brisée, 500 g de cuisses de grenouilles, 200 g de ciboules, 100 g de beurre, 50 g de raisins secs, 10 filaments de safran, ½ cc de cannelle, sel et poivre, 1 œuf battu.*

Hacher finement les ciboules. Les mettre dans une poêle avec le beurre, les raisins secs, les grenouilles, et faire sauter 10 min. Ajouter les épices. Faire de petites aumônières de pâte, y mettre quelques cuisses de grenouilles, refermer, enduire d'œuf battu et mettre au four (th. 7, 220°) 20 min.

## Potage de turbot
*Pour 6 personnes*

*1 turbot, 15 cl d'huile d'olive, 15 cl de vin blanc, eau, sel, poivre, 250 g d'oignons, 150 g de pruneaux, 100 g d'amandes effilées, 100 g de cerises séchées, 50 g de raisins secs.*

Faire cuire au four le turbot dans le mélange d'huile et de vin avec un peu d'eau. Saler et poivrer.

Dans une poêle, faire revenir dans de l'huile d'olive les oignons émincés, les pruneaux coupés en morceaux, les amandes, les cerises, les raisins secs. Ajouter ce mélange sur le turbot au moment de servir.

## Petits pâtés de saumon aux petits pois
*Pour 6 personnes*

*1 fond de pâte feuilletée, 600 g de saumon, 300 g de petits pois, 1 bouquet de menthe, persil, coriandre, ½ cc de cannelle, huile d'olive, sel et poivre.*

Faire cuire le saumon et les herbes hachées dans une poêle avec de l'huile d'olive. Émietter et mélanger avec les petits pois, la cannelle, le sel et le poivre. Façonner des boulettes de la taille d'un œuf. Envelopper de pâte feuilletée et mettre au four (th.7, 220°) 20 min.

## Calamars farcis
*Pour 4 personnes*

*8 calamars, la mie de pain d'½ baguette, 4 jaunes d'œufs, 100 g de raisins secs, 1 cc de cannelle, 10 filaments de safran, 1 tasse d'herbes hachées (persil, menthe, coriandre), 100 g d'amandes, 50 g de noix, 50 g de noisettes, le jus de 2 citrons, huile d'olive, 1 verre de vin blanc, 25 cl d'eau, sel et poivre.*

Faire tremper la mie de pain dans le jus d'1 citron. Broyer les noix, les noisettes et la moitié des amandes. Les ajouter à la mie de pain, ainsi que les jaunes d'œufs, les épices, les herbes, le sel et le poivre. Farcir les calamars avec ce mélange.

Les mettre dans une cocotte, arroser avec le jus de citron restant, l'huile d'olive, le vin blanc et l'eau. Faire cuire à feu doux pendant une heure, en ajoutant éventuellement un peu d'eau en cours de cuisson. Enfin, 15 min avant la fin de la cuisson, ajouter le reste des amandes.

### Rôti de thon farci au thon
*Pour 4 personnes*

*Un morceau de thon de 800 g de forme rectangulaire, 2 jaunes d'œufs, 1 tasse d'herbes hachées (menthe, persil, aneth, coriandre), 2 gousses d'ail, ¼ de cc de cannelle, 1 pincée de muscade, 5 filaments de safran, 1 cc de graines de fenouil, le jus de 2 citrons, 3 cs d'huile d'olive, sel et poivre.*

Couper le thon en 3 tranches, en réserver 2. Couper la troisième en petits morceaux et la passer au mixeur avec les herbes, les épices, 1 gousse d'ail et les jaunes d'œufs. Mettre cette farce entre les deux tranches de thon. Mettre dans un plat allant au four, arroser avec le jus de citron, parsemer avec les graines de fenouil. Faire cuire (th.7, 220°) 15 min.

### Dorade à l'étuvée
*Pour 4 personnes*

*4 petites dorades, 2 cs d'huile d'olive, 15 cl de vin blanc sec, 15 cl de verjus (ou de vinaigre de cidre), ½ cc de cannelle, 10 filaments de safran, sel et poivre, 4 cs d'herbes hachées (menthe, persil, aneth). En été : 300 g de petits oignons. En hiver : 400 g de pruneaux.*

242

Mettre dans une cocotte la dorade, l'huile, le vin, le verjus, les épices, les oignons (ou les pruneaux selon la saison). Faire cuire 15 min. Au moment de servir, ajouter les herbes hachées.

### Sardines à la vénitienne
*Pour 6 personnes*

*1 kg de sardines vidées et étêtées, 1 kg d'oignons doux, 150 g de raisins secs, 2 citrons bio, 25 cl d'huile d'olive, 4 branches de thym, sel et poivre.*

Découper les oignons en fines rondelles. Les faire frire dans une poêle avec un peu d'huile. Les réserver. Faire frire les sardines dans la même poêle pendant 3 à 5 min, selon la grosseur. Les réserver. Couper les citrons en tranches très fines. Dans un bol, mélanger l'huile, le thym, le sel et le poivre. Dans une terrine, disposer une couche de sardines, puis une couche d'oignons. Parsemer de rondelles de citron et de raisins secs. Verser $1/5$ de la marinade. Recommencer l'opération jusqu'à épuisement des ingrédients. Placer au réfrigérateur et laisser reposer 48 heures au moins. Sortir 2 heures avant de servir.

### Truite à la mode de Milan
*Pour 4 personnes*

*4 truites, 25 cl de vin blanc sec, 15 cl de vinaigre de vin blanc, ½ cc de gingembre, ¼ de cc de cannelle, ¼ de cc de muscade, 1 clou de girofle, sel et poivre, une vingtaine de brins de persil.*

Dans un grand plat allant sur le feu, mettre les truites avec le vin et le vinaigre. Porter à ébullition, et enlever l'écume. Réduire le feu, et ajouter les épices. Retirer du feu après 1 min. Placer au frais et servir le lendemain en parsemant de persil haché.

### Fonds d'artichauts farcis
*Pour 4 personnes*

*16 fonds d'artichauts, 150 g de viande de veau, 150 g de jambon cru, 1 carré Gervais, 1 œuf, 2 cs d'herbes hachées (persil, menthe, sauge, romarin, thym), 1 gousse d'ail, ¼ de cc de muscade, 1 cc de gingembre en poudre, 1 cs d'huile d'olive, 1 tablette de bouillon de volaille, 40 cl d'eau, sel et poivre.*

Préchauffer le four (th. 6, 200°). Hacher finement la viande de veau et le jambon cru. Les mélanger. Ajouter le fromage, l'œuf, l'ail haché, les herbes, le gingembre, la muscade, le sel, le poivre. Garnir chaque fond d'artichaut de ce mélange. Faire dissoudre la tablette de bouillon de volaille dans l'eau. Verser l'huile dans un plat à four. Y placer les fonds. Les recouvrir de bouillon. Faire cuire 30 min en arrosant régulièrement avec le bouillon.

### Croustade de petits pois
*Pour 6 personnes*

*1 fond de pâte brisée, 750 g de petits pois, 250 g de ricotta, 50 g de parmesan, 1 bouquet de menthe, marjolaine, 4 œufs, persil, ½ cc de cannelle, un peu de muscade, sel et poivre.*

Cuire les petits pois dans de l'eau salée pendant 10 min. Les mélanger avec la ricotta, le parmesan, les œufs battus, les épices et les herbes. Disposer sur la pâte et faire cuire (th. 7, 220°) 30 min. (On peut également y ajouter des morceaux de saucisse.)

### Oignons à la mode de Gênes
*Pour 4 personnes*

*500 g d'oignons, 250 g de ricotta, 50 g de parmesan, 100 g de chapelure, huile d'olive, sel et poivre.*

Faire cuire les oignons émincés dans de l'eau salée. Les égoutter soigneusement. Les hacher et les mélanger à la ricotta. Saler et poivrer. Faire des boulettes, les rouler dans le parmesan râpé, puis dans la chapelure. Faire dorer à la poêle dans l'huile d'olive jusqu'à ce que les boulettes soient dorées.

### Épinards à la florentine
*Pour 4 personnes*

*800 g d'épinards, 200 g de ciboules, 100 g de raisins secs, 1 cs de vinaigre, huile d'olive, sel et poivre.*

Faire revenir les épinards coupés dans une poêle avec un peu d'huile d'olive. Retirer du feu et ajouter les raisins secs, le vinaigre, le sel et le poivre. Façonner des boulettes, puis les faire frire à l'huile d'olive.

### Gâteau d'aubergines
*Pour 4 personnes*

*4 grosses aubergines, 3 cs d'huile d'olive, 1 tasse d'herbes aromatiques hachées (menthe, marjolaine, persil, barbe de fenouil, pimprenelle), 2 gousses d'ail, 2 boules de mozzarella, 1 pointe de clou de girofle, ½ cc de cannelle, 3 cs de vinaigre de cidre.*

Faire cuire les aubergines 30 min au four (th. 6, 200°). Les laisser refroidir, enlever la peau puis les couper en lanières. Mélanger les herbes hachées et les épices. Huiler un plat allant au four, y placer une couche de lanières d'aubergines. Répartir la moitié du mélange d'herbes et d'épices ainsi que la moitié de la mozzarella coupée en tranches. Placer dessus une autre couche d'aubergines, herbes et mozzarella. Répartir le reste de l'huile et le vinaigre. Faire cuire 30 min au four (th. 6, 200°).

### Fèves au safran
*Pour 4 personnes*

*2 kg de fèves à écosser, 1 pincée de safran en filaments, 2 cs d'huile d'olive, 25 cl d'eau, 5 tiges de persil, 5 tiges de menthe, 3 brins de marjolaine, 2 feuilles de sauge, sel et poivre.*

Écosser les fèves et les plonger dans de l'eau bouillante pendant 30 s. Enlever la peau. Verser l'huile dans une cocotte, ajouter les fèves, puis l'eau et le safran. Bien mélanger, saler et poivrer, et faire cuire 10 min. Hacher les herbes. En fin de cuisson, prélever la moitié des fèves pour les passer au mixeur. Ajouter aux fèves entières, faire réchauffer quelques secondes. Verser dans un plat de service et parsemer des herbes hachées.

### Crème de fenouil
*Pour 4 personnes*

*2 gros fenouils, 50 g de parmesan râpé, 30 cl d'eau, 1 pincée de muscade, 1 pincée de cannelle, sel et poivre.*

Laver les fenouils et les couper en rondelles. Les faire cuire à l'eau avec le sel 15 à 20 min. Ajouter les épices. Passer au mixeur. Ajouter le parmesan. Servir chaud ou froid.

### Pigeons à la sauge
*Pour 4 personnes*

*2 pigeons de 400 g, 150 g de lard, 250 g de pruneaux, 70 g de raisins secs, 6 feuilles de sauge, 1 tablette de bouillon de volaille, 30 cl d'eau, ¼ cc de cannelle, ¼ cc de muscade, sel et poivre.*

Couper le lard en petits morceaux et le faire revenir dans une cocotte avec les pigeons 15 min. Ajouter le bouillon, les raisins, les pruneaux, les épices, le sel et le poivre. Mettre au four et faire cuire 30 min.

### Paupiettes de veau
*Pour 4 personnes*

*4 escalopes de veau aplaties par le boucher, 300 g de chair de veau hachée, 150 g de lard frais haché, 1 cc de graines de fenouil pilées, 2 cs de vinaigre, 2 jaunes d'œufs, 50 g de raisins secs, 1 tasse d'herbes hachées (persil, menthe, sauge, marjolaine, thym), 1 gousse d'ail hachée, ½ cc de cannelle en poudre, 10 filaments de safran, le jus d'1 orange, le jus d'1 citron, 10 cl de verjus (ou de vinaigre de cidre), sel et poivre, cure-dents.*

Dans un bol, mélanger les graines de fenouil et le vinaigre, puis en enduire les escalopes. Mélanger la chair de veau, le lard, les jaunes d'œufs, les herbes, la cannelle et l'ail. Poivrer. Façonner de petits rouleaux avec cette farce. Couper les escalopes en deux. Poser un rouleau de farce sur chacune des 8 paupiettes. Rouler et fermer avec un cure-dents. Dans une cocotte, les faire dorer sur toutes les faces, ajouter le jus d'orange et de citron, le verjus, les raisins secs, le safran. Faire cuire à feu très doux, 30 min environ. Éventuellement, ajouter un peu d'eau.

### Canard braisé aux pruneaux
*Pour 5 personnes*

*2 kg de canard, 10 gousses d'ail, 1 cc de graines de fenouil, 1 cube de bouillon de volaille, 1 l d'eau, ½ cc de cannelle, ½ cc de noix de muscade, 300 g de pruneaux, sel et poivre.*

Introduire dans le canard la moitié des gousses d'ail et quelques graines de fenouil. Mettre le canard dans une cocotte allant au four, parsemer de sel et du reste de graines de fenouil. Faire fondre le cube de bouillon dans l'eau. Verser 25 cl dans la cocotte avec les épices. Mettre à cuire (th. 6, 200°) pendant 1 h. Ajouter le reste de l'eau toutes les 15 min. Ajouter les pruneaux et laisser cuire encore 30 min.

### Aillée aux noix

*100 g de noix, 60 g d'amandes, 4 gousses d'ail, 50 g de mie de pain, environ 1 cm de gingembre, fumet de poisson ou bouillon de volaille selon l'usage prévu.*

Faire tremper la mie de pain dans le bouillon. Faire bouillir à l'eau les gousses d'ail 10 min. Les broyer au mortier avec le gingembre. Passer les noix, les amandes et la mie de pain au mixeur. Ajouter à l'ail et au gingembre. Bien mélanger. Servir avec du poisson ou de la viande.

### Tarte royale
*Pour 6 personnes*

*1 fond de tarte brisée, 500 g de ricotta, 100 g de pignons, 75 g de sucre, 4 blancs d'œufs, ½ cm de gingembre frais, 1 cs d'eau de rose.*

Passer les pignons 1 min à la poêle. Mélanger le gingembre râpé. Ajouter le sucre, les pignons, l'eau de rose. Incorporer les blancs d'œufs battus en neige. Garnir le fond de tarte avec le mélange. Faire cuire au four (th. 6-7, 200/220°), 30 à 40 min.

### Tarte à la pâte d'amandes
*Pour 6 personnes*

*1 fond de pâte brisée, 500 g d'amandes mondées, 150 g de sucre, 1 verre d'eau, 1 verre de lait, 6 blancs d'œufs, 1 cs d'eau de rose.*

Broyer les amandes. Faire bouillir l'eau et le sucre. Y mettre les amandes jusqu'à l'obtention d'une pâte.

Ajouter l'eau de rose. Hors du feu, ajouter le verre de lait. Battre les blancs en neige et incorporer soigneusement la pâte d'amande. Faire cuire au four (th.7, 220°) 30 min.

### Petites oreilles
*Pour 4 personnes*

*Feuilles de brick, 250 g de ricotta, 2 blancs d'œufs, 50 g de pignons, 30 g de sucre, huile d'olive.*

Faire dorer à sec les pignons dans une poêle. Battre les blancs d'œufs en neige. Les mélanger avec la ricotta et le sucre. Ajouter les pignons. Découper des ronds de pâte. Les farcir avec le mélange et les souder. Faire frire à l'huile d'olive.

### Tarte aux pommes

*1 fond de pâte brisée, 1 kg de pommes, 50 g de beurre, 250 g de ricotta, 75 g de sucre, 4 œufs, ½ cc de cannelle.*

Éplucher les pommes, les couper en quartiers, puis les faire revenir dans une poêle avec le beurre. Ajouter le sucre et faire prendre un peu de couleur. Fouetter les œufs et la ricotta. Ajouter les pommes et la cannelle. Garnir la pâte et faire cuire 30 min (th. 7, 220°).

### Tarte aux fraises
*Pour 6 personnes*

*1 fond de tarte sablée, 750 g de fraises, 250 g de ricotta, 100 g de sucre, 2 œufs, ¼ de cc de cannelle, 1 noix de beurre.*

Dans une poêle, faire fondre le beurre, y mettre les fraises coupées en deux, les faire cuire à feu doux 5 min. Dans un saladier, mettre les œufs et les battre au fouet ; ajouter le sucre, la ricotta, la cannelle. Bien mélanger. Ajouter les fraises. Garnir le fond de tarte avec le mélange. Faire cuire (th. 6-7, 200/220°) 25 min.

### Tarte au melon
*Pour 6 personnes*

*1 fond de tarte brisée, 1 gros melon, 1 poire, 50 g de beurre, 4 œufs, 50 g de biscuits à la cuiller, 100 g d'amandes en poudre, 80 g de sucre, 1 cs d'eau de rose.*

Éplucher et couper en morceaux le melon et la poire. Les faire cuire doucement à la poêle avec le beurre, jusqu'à obtention d'une purée épaisse. Passer au mixeur les biscuits. Battre les œufs en omelette. Mélanger les biscuits, les œufs, le sucre, l'eau de rose à la purée de melon. Garnir le fond de tarte avec le mélange. Faire cuire (th. 6-7, 200/220°) 30 min.

### Tarte de fruits secs, dite «pizza» à Naples
*Pour 6 personnes*

*1 fond de tarte brisée, 4 jaunes d'œufs, 50 g de beurre, 80 g de sucre, 100 g d'amandes, 50 g de pignons, 50 g de dattes dénoyautées, 50 g de raisins secs, 2 biscuits à la cuiller, ½ cc de cannelle en poudre.*

Passer au mixeur les biscuits avec les fruits secs. Ajouter le sucre, la cannelle, l'eau de rose, le beurre fondu. Garnir le fond de tarte avec le mélange. Faire cuire (th. 6-7, 200/220°) 30 min.

### Fiadoncelli
*Pour 4 personnes*

*Feuilles de brick, 30 g de pignons, 50 g de raisins secs, 100 g de dattes, ½ cc de cannelle, 5 feuilles de menthe, huile d'olive.*

Hacher finement les ingrédients. Mettre sur une feuille de brick et rouler en forme de cannelloni. Faire frire à l'huile d'olive.

## Flan à la hongroise
### Pour 6 personnes

*30 cl de lait, 5 jaunes d'œufs, 80 g de sucre, le jus d'½ orange, le jus d'1 citron, 2 cs d'eau de rose, 1 cc de cannelle en poudre, 1 cc de gingembre en poudre, 1 noisette de beurre.*

Mélanger au fouet tous les ingrédients. Les verser dans un moule beurré. Faire cuire au bain-marie, au four préalablement chauffé (th. 6, 180/200°) 40 min environ.

## Minestra de ricotta
### Pour 6 personnes

*1 kg de ricotta, 380 g de beurre, 250 g de sucre, 2 cs de lait, 2 cs d'eau de rose, 45 g de farine.*

Mettre tous les ingrédients sauf la farine dans une casserole. Chauffer jusqu'à ce que le beurre soit fondu. Ajouter la farine. Bien mélanger à l'aide d'un fouet, tout en laissant cuire à feu doux quelques minutes. Servir chaud ou tiède.

*Du même auteur :*

La Saga des Savoisy

MEURTRES À LA POMME D'OR, Le Livre de Poche, 2010.
SOUPER MORTEL AUX ÉTUVES, Le Livre de Poche, 2010.
NATURES MORTES AU VATICAN, Le Livre de Poche, 2009.
MEURTRES AU POTAGER DU ROY, Le Livre de Poche, 2010.
LES SOUPERS ASSASSINS DU RÉGENT, Le Livre de Poche, 2010.
MEURTRE AU CAFÉ DE L'ARBRE SEC, Lattès, 2010 ; Le Livre de Poche, 2012.
MEURTRE AU RITZ, Le Livre de Poche, 2013.
L'ASSASSIN DE LA NATIONALE 7, Le Livre de Poche, 2014.
MEURTRES TROIS ÉTOILES, Le Livre de Poche, 2016.

Les enquêtes de Quentin du Mesnil,
maître d'hôtel à la cour de François Ier

LE SANG DE L'HERMINE, Lattès, 2011 ; Le Livre de Poche, 2013.
DE SANG ET D'OR, Lattès, 2012 ; Le Livre de Poche, 2014.
LE PRISONNIER DE L'ALCÁZAR, Lattès, 2014 ; Le Livre de Poche, 2015.

www.editions-jclattes.fr
www.michelebarriere.fr

Le Livre de Poche s'engage pour
l'environnement en réduisant
l'empreinte carbone de ses livres.
Celle de cet exemplaire est de :
300 g éq. $CO_2$
Rendez-vous sur
www.livredepoche-durable.fr

PAPIER À BASE DE
FIBRES CERTIFIÉES

Composition réalisée par Lumina Datamatics

Achevé d'imprimer en septembre 2016 en Espagne par
CPI BLACK PRINT
N° d'impression :
Dépôt légal 1re publication : octobre 2016
LIBRAIRIE GÉNÉRALE FRANÇAISE
21, rue du Montparnasse – 75298 Paris Cedex 06